根本敬◎著

つながるビルマ、つなげるビルマ

光と影と幻と

彩流社

＊カバー写真
・表側
〔左上〕いまはないパガンの市場で出会った壺売りの少女　1986 年 1 月
〔右上〕シャン州ピンダヤ湖畔で出会った兄弟姉妹　1986 年 1 月
〔中央〕政治デビュー前のアウンサンスーチーさん（41 歳）と共に
　　　　ラングーンの自宅にて　1986 年 7 月
・裏側
〔右上〕ビルマの子ども向け道徳ポスター　1990 年代後半
　上「このようにするな」（怒った顔は心を貧しくさせる）
　下「このようにしなさい」（笑顔は心を豊かにする）
〔中央〕ラングーン郊外に住む親友の自宅にて　家族や友人と共に　1985 年 10 月

＊表紙
・表側　マグウェ市内のアウンサン像の前で　1987 年 2 月
・裏側　アマラプーラの僧院にて　アウンサンスーチーとも交流があるウー・
　　　　ピンニャ僧上と　1987 年 9 月

＊扉
　大学教員寮（ラングーン）の賄いさん一家と　1986 年 12 月

まえがき

本書は東南アジアの一国ビルマ（ミャンマー）にまつわるエッセイ集である。一般に「微笑みの国」であるとか、「やさしい仏教徒が住む国」としてイメージされることの多いこの国は、日本でもファンが多い。私はビルマの近現代史を専門とする研究者として、これまで様々な学術論文や専門書、そして一般向けの本を著してきた。その一方で、この国の政治情勢に関する短い論説や、自分のビルマ体験を振り返る軽いエッセイも依頼されるがまま二〇〇編以上書いてきた。本書は後者のほうに的をしぼり、いくつかの雑誌に掲載された文章を中心に二〇数点を選び、必要最低限の改訂を施して一冊の本にまとめたものである。

第一部は、一九八〇年代後半に二年間ビルマへ留学していたときに経験した様々なエピソードから成るエッセイと、およそビルマとは無縁の話題を綴った数篇の雑文から構成されている。つづく第二部は、アウンサンスーチーに関するものをはじめ、二〇二一年二月に発生したこの国で三度目となる軍事クーデターとその後の状況を論じた論説や、香港との比較を語り合った対談、日本に難民性を帯びてやってきたビルマの人々について書いた文章を並べている。エピローグでは私の半生に短く触れた個人のインタビュー記事を掲載した。

おおもとの掲載誌は『青淵』（渋沢栄一記念財団）、『アーガマ』（阿含宗出版社）、『婦人之友』（婦人之友社)、『世界』(岩波書店)、『図書新聞』(武久出版)、『福音と世界』(新教出版社)、および上智大学大学院グローバル・スタディーズ研究科ホームページである。詳細については巻末の初出一覧を参照していただきたい。

『つながるビルマ、つなげるビルマ』という書名に込めた思いは次のようなものである。この国は一九四八年に英国の植民地から独立した後、一時的に議会制民主主義を経験したものの、その後は国軍による政治権力の独占という状況下に置かれてきた。二〇二一年二月のクーデター後も、国民は暴力的な抑圧の下に置かれている。しかし、そのような状況にあっても若い世代を中心に民主化と諸民族の平等を目指す国軍政権への抵抗が続いている(二〇二三年二月現在)。二〇二二年にロシアに侵略されたウクライナの苦しみと抵抗は国際的な同情と支援を得ているが、ビルマの場合は国民が同じような苦難に直面しているにもかかわらず、一国の「内戦」としてみなされがちで、なかなか有効な支援や介入がなされる気配にない。しかし、現実のビルマは「内戦」のような国民同士が複数に分かれて戦っているという状況にはなく、総選挙で圧勝した政党による民主的政府を武力で倒した国軍を絶対に認めない国民による抵抗が続いているととらえたほうが正確である。国軍は都市部の住宅街でもロケット弾を使用し、地方では村々を空襲で焼き、その結果一〇〇万人を優に超える国内避難民を出すに至っている。

このような状況下にあるビルマの国民を私たちはけっして孤立させてはならないし、国際社会が様々な形でつながりを維持し支援をおこなう必要がある。一方で、ビルマの人々はけっして「助け」を求めているだけの弱者という存在ではない。今は国際社会の支援や介入を求めているが、彼らもまた私たちを「助け」てくれる存在である。二〇一一年の東日本大震災の際、在日ビルマ人は団体を組んで被災地の復旧にヴォランティアとして入った。仕事を休んで行った者が多く、中には休暇を認められず解雇された事例すらある。それでも被災地の人々を支援しようとしたのである。このような過去を思い出すとき、私たちは「助ける」のではなく「助け合う」、そして「教える」のではなく「学び合う」という姿勢の大切さを思わないではいられない。ビルマは孤立して存在する国ではないし、そこに住む人々も同じである。私たちと共に「つながり」「つなげる」存在なのである。

無論、世界のどの国や国民についても理想化してはならない。ビルマとビルマの人々についても、私たちは多角的にみつめ、その魅力と問題点を両方とらえる必要がある。「微笑みの国」「やさしい仏教徒が住む国」であったとしても、同時に国軍が国民を苦しめる国であり、多民族・多宗教・多文化の側面を持つ多面的な国でもある。犯罪もあれば麻薬問題もある。民族間の対立や差別もある。経済格差も大きい。本書の副題である「光と影と幻と」のうち、「光」と「影」にはそうしたメッセージを込めている。三つ目の「幻」は、国民の多くが求め続ける平和と民主主主義と諸民族平等の土台の上に経済的にも繁栄するビルマという、遠い未来、必ず実現させたい未来のことを指す。人は「幻」を見ながら生きるのであり、それを追い求めながら苦難を一つ一つ乗り越えていくのではないか。私はそう理解している。

☆国名表記について

本書では対談とインタビューを除いて「ミャンマー」ではなく「ビルマ」という国名表記を使っている。すでに日本ではメディアをはじめ、学校で使う教科書や一般書籍で「ミャンマー」という国名が使われるようになって久しい。大学で教えていると「ビルマ」と「ミャンマー」が同一の国の名前であることを知らない学生と出会うこともある。そのような状況にあって、なぜあえて「ビルマ」を国名として用いるのか、その理由について説明を加えておきたい。

一九八九年六月一八日に当時の軍事政権は、突然、対外向けの英語国名をそれまでのBurma《バーマ》から、ビルマ語の正式国名であるMyanmar《ミャンマー》に一致させる旨、国営新聞等を通じて宣言した。一般には「ビルマからミャンマーに国名を変更した」と理解されているが、正しくは「英語国名をビルマ語国名と一致させる」ことにあったことに注意が必要である。その理由として新たに示された見解は、Burmaの元であるビルマ語の「バマー」が狭義の「ビルマ民族」しか指さないのに対し、「ミャンマー」は少数民族を含む「全ビルマ国民」を意味するというものであった。

しかし、この説明には歴史的根拠がない。この国では古くから碑文などの書き言葉で「ミャンマー」が使われる一方、しゃべり言葉では「バマー」が使用されてきた。英語のBurmaはこの口語体の「バマー」から影響を受けた可能性がある。オランダ語やドイツ語ではBirmaと表記され、日本では明治初期にオランダ語表記を通じて「ビルマ」という呼び方が導入された。問題は「ミャンマー」（文語）と「バマー」（口語）がそれぞれ本来、何を意味したかであるが、歴史的に両者が意味してきたものは狭義の「ビルマ民族」（バマー民族）と、彼らが住む領域のことであった。すなわち、現在でいう「少数民族」（カレン人、シャン人、カチン人等）や、それらの人々が住む領域を含む概念としては使われてこなかったのである。一方、英領植民地期の一九三〇年代においては、有力ナショナリズム団体のタキン党が、口語の「バマー」こそ「英国統治下ビルマにおける被支配民族すべて」を指すと定義し（すなわち初の「ビルマ国民」としての定義を示し）、積極的に独立運動で使用した史実がある。タキン党から現在の国軍の源流をつくりあげた人々が多く輩出したことを考えると、こうした「バマー」の使われ方の史実を無視して、「ミャンマー」こそ少数民族を含む国名としてふさわしいと解釈することに疑問を禁じ得ない。

加えてもうひとつ重要な点は、純粋に日本語の問題として外国の国名表記の在り方について「ビルマ」と「ミャンマー」を考えた場合である。たとえば、日本では「グレート・ブリテンおよび北アイルランド連合王国」を、江戸時代から「イギリス」「英国」と呼んできたが、これまで英国側からそれを問題視されたり、日本国内で「現実の国名と合わないから呼称を変えるべきだ」という声が高まったりしたことはない。また「ネーデルラント」を「オランダ」と一六世紀から呼んでいるが、誰からも問題視されていない。それなら、明治期から「ビルマ」という呼び方が日本語表現として定着していたにもかかわらず、なぜわざわざそれを「ミャンマー」に変える必要があるのかと問うても不思議ではあるまい。日本が海外でどのように呼ばれているかを考えてみるのもよいだろう。英語では「ジャパン」だが、フランス語では「ジャポン」、ドイツ語では「ヤーパン」、コリア語では「イルボン」であるように、各国の言語で発音や呼び方は異なっている。それぞれの言語には、世界各国の国名を自由に呼ぶ権利があるのではないだろうか（そこに蔑称や差別的な意味合いが含まれる場合を除く）。

とはいえ、国連での公式英語呼称は一九八九年後半以降「ミャンマー」であり、日本でも同時期に国会での承認を経て政府が「ビルマ」の使用をやめ「ミャンマー」を使うようになっている。この事実を重視すれば「ミャンマー」を使うほうが正しいということになろう。実際、「ビルマ」を使う人間はもはや少数派に過ぎないことも事実であり、私のような「ビルマ」にこだわる研究者はフェイドアウトを強いられている。しかし、それでも、本書ではこれまで述べた国軍による恣意的な国名解釈の変更への疑念と日本語の従来表記の重要性を尊重し、あえて「ビルマ」を用いることにしたい。

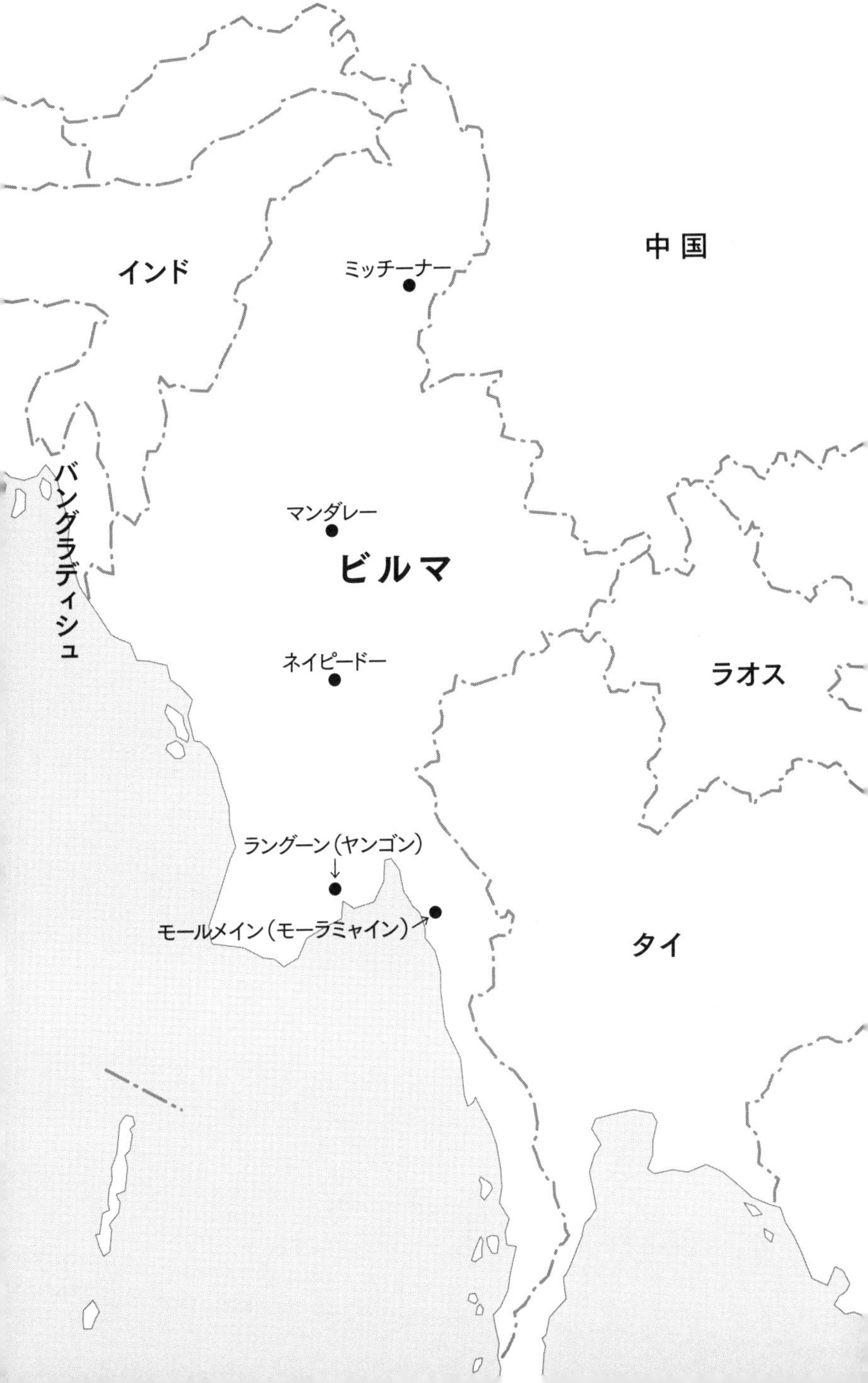
中国
インド
ミッチーナー
バングラディシュ
マンダレー
ビルマ
ネイピードー
ラオス
ラングーン（ヤンゴン）
モールメイン（モーラミャイン）
タイ

もくじ◉『つながるビルマ、つなげるビルマ』

第Ⅱ部　ビルマのいま、ビルマの未来

第Ⅰ部

ビルマを学ぶ、ビルマから学ぶ

マンダレーで輪タク（サイカー）に乗る　1987年9月（著者30歳）

ビルマ留学の残照――ウー・サーミー父子の思い出

「一枚、二枚、三枚……全部で一四枚。一枚一チャット、よって値段は一四チャット」。

依頼した洗濯物を丁寧に仕上げ、寮の部屋に持ってきてくれたウー・サーミーが、ぶっきらぼうな声で、枚数と値段を確認する。私は「ありがとう」と言ってお金を払う。何もいわずに出て行くウー・サーミー。いまから二〇年ほど前、一九八五年から八七年の二年間、私が日本の国費留学生としてビルマに留学していた頃の話である。

ラングーン（ヤンゴン）大学の前にある大学教員寮の二〇号室という部屋が私の住処であった。二人で一室を利用するのが原則なのだが、外国人留学生ということで特別扱いされ、一人で一室を使うことが許されていた。一二畳くらいのコンクリートむき出しの床に、小さな机とベッド、そして本棚。そのほかに電球と蛍光灯と天井の扇風機。それ以外は日本から持ち込んだ小型冷蔵庫が唯一のまともな家電製品で、広さだけが取り柄の殺風景な部屋だった。扇風機や冷蔵庫にしても停電が多かったので、その時は何の役にもたたなかった。水道も、午前と午後にそれぞれ二時間しか供給されないので、その時間帯に合わせて顔を洗ったり水浴びをする。今となってはなつかしく貴重な留学の日々だが、留学前に日本の都会の生活に長く浸りきっていた私にとって、正直言って不便な毎日であった。

ウー・サーミーはこの寮に三人いた警備兼雑用係の一人で、当時のビルマの下級公務員として、劣悪な給料のもとで働いていた。典型的なインド系ビルマ人男性の彼は、背が高く、細身で、顔立ちは彫りが深く、つやのある肌はふつうのビルマ人より黒かった。ウー・サーミーが警備のほかに担当していた雑用は、この寮に住む大学教員（約三〇人）の洗濯で、彼にとって日本円換算で三〇〇〇円にも満たない給料を少しでも増やしてくれるのが、この洗濯業だった。私は下着類こそ自分で洗っていたが、ワイシャツやTシャツ、そしてロンジー（ビルマの男女が着用する巻きスカートのようなもの）については、いつもウー・サーミーに洗濯をお願いしていた。服や生地の種類を問わず、彼はいつも「一枚一チャット」で引き受けてくれた。

チャットはビルマの通貨単位で、インフレの進むいまでは、一チャットは紙くず同然である。しかし、一九八〇年代半ばにあっては、日本円で七円程度の価値があった。私は日本政府から月額十万円をもらう、一般ビルマ人から見れば「裕福な」国費留学生だったので、ウー・サーミーによって洗濯物「一枚一チャット」の「値段表」を適用されたが、同じ教員寮に住むビルマ人の先生たちはそれより安い「値段表」が適用されていた。大学教員たちも政府から安い給料しかもらっていなかったので、「一枚一チャット」ではウー・サーミーに洗濯を依頼する人がいなくなる恐れがあったのだろう。

ビルマでは洗濯業の人をドービーと呼ぶ。その多くはインド系ビルマ人である。インドからビルマに移住してきたときのカーストが関係しているようだ。ウー・サーミーをはじめ、彼らドービーたちの洗濯の仕方は、洗濯石鹸を使って、洗い場のコンクリートの床にひとつひとつの洗濯物をたたきつけながら汚れを落とすやり方である。そのあとよく絞り、そのまま芝生や土の地面のうえに広げて乾燥させるのが常で、最初は土や泥が洗濯物についてしまうのではないかと心配したが、そのようなことはほとんどなく、乾いたあとは炭火を使ったアイロンを丁寧にかけてたたんでくれるので、完成品は日本のクリーニング店に頼むのと（少なくとも見た目は）変わらなかった。

ウー・サーミーの年齢は五〇代だったように思うが、確認はできなかった。無駄口をいっさいきかない彼は、いつもぶっきらぼうで、洗濯の「副業」がないときは、寮の玄関の入り口で警備をしていた。警備といっても、玄関を入ったところに置いてある来客用のいすに座って、外の風景を哲学者のように眺めているだけである。もちろん来客があると対応し、客人の告げる教員の部屋に呼び出しに行くのだが、その際のやりとりもぶっきらぼうだった。にもかかわらず、ほかに二人いた警備員と比べて、彼にはどこか風格があり、信頼感があった。住人の教員たちも、ウー・サーミーに、より多くのことを頼っていた。私もビルマ語の練習を兼ねていろいろな話をした。あまりにぶっきらぼうなので、会話は一分と続かないのだが、それでもこちらが嫌な気分になることは一度もなかった。ウー・サーミーは不思議なオーラを持つ男だった。

大学教員寮（ラングーン）の賄いさん一家と　1986年12月（著者29歳）

彼には一人息子がいた。名前は忘れてしまったが、年齢は十代半ばくらい、いわゆる「知的障害」の少年だった。目は純真に輝き、いつもにこにこして、寮の内外で一人遊びをしていた。寮の賄いのおばさんが私に何度となく「ウー・サーミーの息子は頭がダメなのよ」と、指で自分の頭の上をくるくる回して「説明」してくれたが、なぜか、その言い方やしぐさに何の「悪気」も「差別」も感じられなかった。とてもあっけらかんとしていた。寮の先生たちも、ときどきウー・サーミーの息子をからかっていたが、双方共に楽しそうに遊んでいるかのように私には映った。少なくとも、そこに「いじめ」のような陰湿なものを感じさせるものはなかった。

しかし、ウー・サーミーにとって、この一人息子の将来は、実に気がかりだったのではなかったかと思う。ときどき、父子二人だけで何事かを話しているところを見かけた。何をしゃべっていたのかは、ついにわからなかったが、二人が話をしているそのときだけは、息子は笑顔を見せていなかった。そして父親も、このときだけはぶっきらぼうな感じには見えず、何かを必死に伝えているように感じられた。

ウー・サーミーは安月給だったとはいえ、「裕福な」外国人留学生である私に物をねだるようなことはしなかった。しかし例外的に欲しがったものが二つあった。日本の合成洗剤とハンガーである。洗剤のほうは、私が日本から来る知り合いにお願いして持ってきてもらうと、その十分の一くらいを分けてあげた（もっと分けてあげれば良かったと思うが、自分で洗濯する下着に洗剤はどうしても必要だったので、たくさん分けてあげようという気持ちになれなかった）。ハンガーについては、私が二年間の留学を終えていよいよ日本に帰るというときに、部屋にやってきて、ここでもぶっきらぼうに「持って帰らないのならハンガーをくれないか」と頼まれた。「全部持っていっていいですよ」と言ったとき、ちょっぴり笑顔を見せてくれた。私が覚えている最初で最後の彼の笑顔だった。

日本に帰国後、翌一九八八年にビルマでは激しい民主化運動が起きた。その年の七月、一週間だけラングーンを再訪した私は、すぐさま大学教員寮を訪問した。玄関でウー・サーミーが出迎えてくれた。笑顔もなく、いつものぶっきらぼうの彼であった。なぜかとてもほっとした。しかし、それから二年おいて一九九〇年の八月のある夕方に再訪したとき、玄関で出迎えてくれた警備の人はウー・サーミーではなかった。非番なのかと思って、「ウー・サーミーは元気？」と尋ねたら、帰ってきた返事は「去年、死んだよ」という言葉だった。病気に倒れ、そのまま他界したとのことであった。

ウー・サーミーはもういない。あの一人息子はどうなったのだろうか？ 寮にいた数人の先生に聞いたが誰も知らなかった。悲しいものを感じながら寮の外に出ると、雨季の真っ只中で雲が空を覆いつくす日であったにもかかわらず、このときだけ夕日が少しだけ姿を見せていた。まるで、私の留学の残照であるかのように……。

〈追記〉ビルマ人の名前に苗字はない。ウー・サーミーの「ウー」は、ビルマ語で成人男性につける敬称である。よって本人の名前はサーミーである。しかし、親しみと尊敬をこめて、私はウー・サーミーと呼ぶ。

（二〇〇六年一〇月執筆）

成田に着いたら別れてあげます

その昔、私は二人の女性から結婚を申し込まれたことがある。しかし、それは私がモテ男だったということでは全くなく、特別の背景と事情に基づくプロポーズだった。相手のプライバシーがからむエピソードとはいえ、すでに二〇年がたち、もはや公にしても誰も傷つかない話だと思うので、ここにその顛末を紹介することにしたい。

一九八五年一〇月から八七年一〇月までの二年間、私は日本の国費留学生として、当時のビルマ連邦社会主義共和国の首都ラングーンに留学していた。年齢は二十代後半、ビルマ語を学びながら、公文書館などで史料調査をしたり、国内各地で独立運動関係者に対する聞き取り調査に従事したりしていた。その間、老若男女さまざまなビルマ人と分け隔てなくつきあい、女性の友人や知り合いも数多くできた。もっとも、相手が女性の場合、基本的には男女の「グループ交際」を通じてのつきあいであり、一対一で会うということはごく稀であった。

ところが、いよいよあと二ヵ月ほどで日本に帰るというとき、私と個人的な話をしたいと言って、二人の女性が私の住む大学教員寮（男子寮）に別々にやってきた。寮の個人部屋に家族でない女性を招きいれることは禁じられていたので、食事の時間帯以外は誰も来ない一階の食堂に入ってもらい、そこでそれぞれの話を聞いた。

最初にやってきた女性Aさんは、私より年下の二〇代前半、中国系のビルマ人で、色白で背が高く、社交的で「おきゃん」タイプの人気者であった。当時のビルマは独特の社会主義体制下にあり、経済的には今以上に貧しい国であったが、彼女の家は比較的裕福で、彼女自身いつもきれいな服を着て現代的なお化粧をしていた。そのAさんが寮の食堂で私と一対一になるや、たいして緊張した様子もなく、いきなり「私と結婚してほしい」と言い出したので、こちらは絶句してしまった。しかし、沈黙は続かなかった。彼女が一方的に話を続けたからである。

いわく、「今のビルマにいても自分の能力を生かせる仕事にはつけないし、この国の将来に希望も持てない。日本に行って仕事をしてお金を稼ぎたい。でもビルマ政府の方針が厳しいから、なかなかパスポートを取って海外へ出ることができない。また日本のヴィザを得るのも容易ではない。そこであなたに協力してほしい。私と結婚して、私を日本に連れて行ってほしい。結婚して夫婦になれば、ビルマ政府も妻が夫の国に行くことを認めパスポートを発給するだろうし、日本政府もすぐにヴィザを出すだろう。だから私と結婚してほしい」。

きわめて単刀直入のプロポーズである。しかし、あまりに荒っぽい申し入れなので、私は「ちょっと待って」と、一方的に話を続ける彼女を止めた。「あなたはそれでよくても、私はどうなる？愛し合って結婚するのではなく、こんな事情で夫婦になるというのは私の人生が混乱するので困る」。

これに対し、彼女は間髪いれず答えた。「心配はご無用。成田に着いたら別れてあげます」。これには再び絶句するしかなかった。しかし、こちらが沈黙してしまえば、Ａさんがますます話を続けるばかりだろうと思い、とっさの判断でローザ・ルクセンブルクの話をすることにした。

ローザ・ルクセンブルク（一八七〇～一九一九）とはドイツ社会民主党の指導者のひとりで、社会主義者・経済学者として日本でもよく知られた女性である。第一次世界大戦後、武装蜂起に参加し、捕らえられ、虐殺されたことでますます有名になった人物でもある。もともとはポーランド王国の生まれで、その後、大学を出て左翼活動に参加すると、活動の拠点をロシアの圧力が強いポーランドからドイツに移すべく、グスタフ・リューベックという男性と偽装結婚してベルリンに脱出、すぐに別れて革命運動に身を投じる。このローザの話をして、私はＡさんに次のように言った。

「いまのビルマが経済的にも政治的にも問題だらけで、多くの国民が政府に不満を抱いていることは私もよく知っている。あなたがローザ・ルクセンブルクのように、ビルマを脱出して海外で勉強し、革命の準備をしてビルマに戻り、祖国の改革と発展のために身を捧げたいというのなら、私もそれを意気に感じてあなたとの偽装結婚に応じよう。成田空港に着くまでのあいだ、夫婦を演じてもいい」。

Aさんの反応は淡々としていた。「そのローザとかいう女性のことはいまはじめて知った。私は政治に関心がないので革命に興味はない。日本に行って、なんでもいいから仕事をしてお金をため、それを持ち帰ってビルマでお店を開き、タイからの輸入品を売るビジネスをしたいだけ」。

私はこれを聞いて正直、安堵した。これなら彼女を傷つけずに敢然とプロポーズを断れると確信したからだ。「そうか、それは残念。ビルマの革命のためなら結婚してあげてもいいと思ったけど、個人的ビジネスの実現のためには協力できない」。

幸い（?）、Aさんは私のこの言葉を真に受けてくれ、顔に失望の色を表しながら帰っていった。私の「作戦勝ち」である。しかし、なんとも形容しがたい憂鬱な気分におそわれたことも事実である。

Aさんのプロポーズ事件の数日後、今度はもう一人のビルマ人女性Bさんが寮にやってきた。この女性は大学で哲学を教えているインテリで、年齢は私より年上の三〇代前半、Aさんと異なり、背は低く小麦色の肌をしていたが、瞳の大きな美人で、いつも上品な雰囲気を漂わせていた。

Aさんのときと同じように寮の食堂に入ってもらい、話を聞いた。

「このままビルマで哲学教師をしていても将来が見えてこないし、私の能力を十分に発揮できない。日本に行く方法を一緒に考えてほしい。掃除婦でも店番でもなんでもする。とにかくこの国を出て、外の世界を見てみたい。日本は発展した国だし、日本人はやさしいので、まずは日本に行って生活をしたい。」彼女は小声で、このような内容をしゃべった。

私は留学中、「日本に行きたい」「日本で仕事をしたい」という類の要望をさまざまなビルマ人男女から聞かされた。多くの場合、Bさんのようなインテリや、Aさんのような比較的裕福な家庭の出身者であった。Bさんのような大学の先生の場合、社会主義体制下で学問の自由がなく、授業の負担が週一八コマにも及ぶ過剰勤務、そのうえ極端な安月給だったので、外国人と知り合うと海外に出たい意向を告げるということはけっしてめずらしくなかった。こういう場合、私は即座に「自分は一介の留学生にすぎず、何の力もコネもないので、申し訳ないが助けたくても助けられない」旨、明確に答えることにしていた。通常、この一言で、日本行きを希望するビルマ人は去って行ってくれる。しかし、Bさんは立ち去らなかった。そして、しばしの沈黙のあと、もじもじしながら、次のように言った。「言いにくいのだけど、もし、私でよかったら、結婚してくださらない？」

Aさんの件があって数日後のこととはいえ、まさかBさんのような年上のインテリからも「体当たり」プロポーズを受けるとは夢にも思わなかったので、私はここでも絶句してしまった。Bさんも意を決しての発言だったのだろう、それ以上は何も語らず、奇妙な沈黙の時が食堂の中を流れた。私はやむを得ず、丁寧なビルマ語を使って「すみません。結婚はできません」と断った。彼女はうつむきかげんのまま「不愉快な思いをさせてごめんなさい」と言うと、寮から帰っていった。その後ろ姿は哀愁に満ちていた。

以上が私の「女性からプロポーズされた話」の顛末である。上座仏教国のビルマでは、女性の社会的地位は相対的に高く、財産の相続権も王朝時代から男女対等、家庭でも女性は男性と同じかそれ以上の力を持っている。しかし、それでも、女性のほうから男性に結婚を迫るということは今も昔も例外的行動である。プロポーズは男性のほうが悩みに悩んで一大決心をして、清水の舞台から飛び降りるような気持ちで女性に対しておこなうのが普通である。AさんもBさんも能力や社交性に満ちた女性で、ふつうの国に生まれていれば、おそらく仕事を通じて十分に自己の夢を実現できたであろう。しかし、当時のビルマはビルマ式社会主義という体制のもと、国家が国民の政治的自由も経済的自由も極端に抑圧していたため、彼女たちは自国の将来に希望を見失い、窒息しそうな日常生活のなかで、このような外国人男性に対する「体当たり」的行動に出たのだといえる。私のことを本当に好きになってプロポーズをしてくれたわけでは全然ないので、悲しい話である。

その後の二人はどうなったであろうか。Aさんのことを知っている別のビルマ人によると、彼女は一九九〇年代初頭にアメリカ人と結婚して米国に渡り、しばらくして離婚、お金をためてビルマに戻り、市場経済に変わった軍事政権下のビルマでビジネスをしているという。これが本当だとすると、まさに初志貫徹で、その行動力には驚くばかりである。一方、大学の哲学の先生だったBさんについては全く情報がない。大学を辞め、ビルマには住んでいないようであるが、どこで何をしているのか全くわからない。あるいは日本にいるのだろうか。

誤解のないように付け加えておけば、最近私の身の回りでも増えてきているビルマ人と日本人との結婚は、私のこの「体当たり」エピソードとは無縁で、日本国内で知り合って恋に落ち結婚したというパターンが多い。またビルマで出会って恋愛し結婚したカップルも何組か知っている。ビルマ人と日本人との偽装結婚という話は聞いたことがなく、私のエピソードはあくまでもビルマが社会主義時代だったときの「こぼれ話」として理解していただければ幸いである。

（二〇〇七年九月執筆）

あるビルマ人弁護士の思い出

サヤーの死

長年つきあいのあったビルマ人弁護士のT氏が亡くなった。今年（二〇〇八年）六月のことである。享年七四歳。私にとっては常に「サヤー（先生）」の敬称でお呼びする大切な知り合いだった。今から二二年前の一九八六年四月一九日、当時、日本の文部省の奨学金でビルマに留学していた私が、同国東北部シャン州のヘーホー空港でマンダレー行きの飛行機を待っていたとき、先方から突然声をかけられたのがその後の長い交流のきっかけとなった。

気さくで驚くほど人脈の広いサヤーは、私がビルマの日本占領期（一九四二〜四五年）の歴史を研究していることを知ると、その時代を生きた有名無名の関係者を次から次へと紹介してくれ、国内あちこちを一緒に回って私の聞き取り調査を助けてくれた。サヤーが住む高原の町タウンジーの自宅では、私が訪問するたびに夫人が私の大好物であるシャンカウスエ（シャン風そば）をつくって歓待してくれ、それを私がいつも四杯、五杯と喜んで食べるものだから、すっかり気に入られ、二人の娘と三人の息子たちとも仲良くなった。実際、夫人のつくってくれたシャンカウスエはビルマで一番おいしかった。

留学後もビルマを訪問する際は、できるかぎりタウンジーに出向き、サヤーと会った。今から六年前、二〇〇二年八月にタウンジーを訪ねたとき、サヤーは糖尿病を患ってやせ細っていたが、自宅の小さな黒板にこちらが恥ずかしくなるような大げさな歓迎の言葉をビルマ語で書き連ね、私を笑顔で迎えてくれた。このときも夫人手作りのシャンカウスエを四杯食べ、会話は大いに盛り上がった。でも、これがサヤーと会った最後となってしまった。

「弁護士業」の中身――ビルマの実情

サヤーの出身地はビルマ中央部のカター市で、上座仏教徒の両親のもとで育てられ、その後、一九五〇年代にマンダレー大学で文学と法律を学び卒業、弁護士資格をとって開業した。夫人と結婚後、一九六〇年代初頭に涼しい気候を求めて標高一〇〇〇メートル級の山の上にそびえるタウンジーに家族全員で移住し、以後そこで暮らした。

一九三四年生まれのサヤーは、ビルマで五つの「時代」を生きた歴史の生き証人でもある。幼少時代は「英領植民地期」、八歳になる頃、日本軍が侵入してビルマを占領し三年半の「日本占領期」を経験、一一歳のとき英国がビルマに復帰、一四歳（一九四八年）で国家が独立、「議会制民主主義期」

の下で青春時代を送る。弁護士として活動をはじめて間もない二八歳のとき軍がクーデターで政権を奪取（一九六二年）、閉鎖的な「ビルマ式社会主義期」に突入、その体制も五四歳のとき（一九八八年）全国規模の民主化運動の発生で崩壊、しかし軍によって運動は弾圧され、その後は亡くなるまで現在の「軍政期」を生き続けた。

声が大きく、弁がたつサヤーは、弁護士に向いていたといえるが、私から見ればビルマの社会的・政治的事情が彼の弁護士としての才能の開花を邪魔したとしか思えない。留学中の一九八六年八月のある日、私はサヤーの自宅兼オフィスで、訪問してきた女性クライアントとサヤーとのやり取りを聞かせてもらったことがある。女性が弁護を依頼したい件について説明したあと、サヤーがおこなったアドヴァイスに私は唖然とした。

「事情はよくわかった。この件、法廷で××が裁判長なら、彼は私の弟子だから絶対に勝てる。でも○○なら特別の面識がないから勝てないかもしれない。それでも相手方の弁護士△△は私の親戚だから、最悪でもこの件は和解に持ち込んで有利な解決ができる。安心して私に任せなさい。」

これではコネによって「法の正義」が決められるも同然で、まともな裁判とは思えないので、女性が帰ったあと私はサヤーに真意を聞いてみた。すると「ビルマでは民事裁判は半分以上がこんなもの。正義とか法律解釈とかはあまり関係ないんだよ」とあっけらかんと語ってくれた。

より深刻だと私が感じたのは刑事裁判の弁護の場合である。サヤーは刑事裁判をあまり引き受けなかったようであるが、一般刑事事件でも政治がらみの思想事件でも、判決は最初から国家（政府）のほうで決められている場合が多く、裁判長はよほど勇気のある人間を除き、上が定めた判決をそのまま受け入れるだけなのだとサヤーは語っていた。したがって刑事裁判の場合、弁護する意味がないので、やる気が起こらないらしい。

軍政下の獄中体験

司法がまともに機能しないビルマで弁護士業をしていたサヤーは、一方で、ペンネームを使ってビルマ古典文学の解説書をまとめたり、風景写真を撮って絵葉書にして売ったりして、弁護士以外の活動で自己の才能を発揮していた。旅行も好きで、海外に出ることが簡単ではない国であるにもかかわらず、インドやタイなど近隣の国々に出かけることがあった。しかし、そのようなサヤーの生活をとんでもない事件が襲う。

サヤーが一九九〇年末にシンガポールへ旅行したときのこと、現地で日本製の子ども向けビデオを一本、孫のみやげに買って帰国した際、国際空港のヤンゴンでは何も問題にされなかったのに、国内線で降りたマンダレー空港の税関で「ビデオ不法所持」とみなされ没収されてしまった。サヤーは子ども向けビデオの所持がビルマのどの法律にも触れないことを熟知していたので、空港で税関職員と激しくやりあったが、袖の下を渡すことを拒否したため負けてしまった。

ここまではビルマでよくある「ひどい話」で済む範囲なのだが、その後の展開が悲劇的だった。サヤーは憤懣やるかたなく、国営新聞の投書欄に「法律の知識もなく、袖の下ばかり要求して子ども向けビデオまで取り上げる職員たちを、当局は取り締まるべきだ」という主旨の文章を投稿した。その投書は内容を大幅に削られて掲載されたが、直後に軍の情報部が自宅にやってきて、削られた部分が国家の権威を侮辱しているという理由で逮捕・連行され、裁判もなしに二四日間、マンダレーの監獄に入れられてしまったのである。サヤーが後日いわく、

「人生であんなひどい日々はなかった。与えられたのは毛布一枚だけ。食事もひどく、蚊に刺され放題。誰とも会えず、家族からの差し入れも一部しか渡してもらえなかった。下痢に苦しんで体重も減ってしまい、まるで別人のような容姿になって自宅に帰った。この国の政府が弁護士という職業を敵視していることがよくわかった。もう弁護士は廃業だ。」

一九九四年一月に会ったとき、確かにサヤーは弁護士業の看板を下ろし、自宅も市の中心部から少しはずれたほうへ移し、文筆業のかたわら写真家として生計を立てていた。すでに子どもたちも独り立ちして仕事で成功していたので、サヤーがあくせく金を稼ぐ必要もなかった。そのころから糖尿病を患ってやせ細ってしまったが、私が訪問するたびに、大きな声で歓待してくれた。

来世も弁護士？

私の研究上の恩人であるサヤーは、一方で俗人らしいところもあり、外国人である私にいろいろな物をおねだりした。私が持っているカメラが気に入ると「くれないか」と平気で言うし、別れ際には必ず次回日本から私が持ってくる「べき」ものを伝えた。それはカメラの部品だったこともあれば、電気製品だったこともある。不可能な依頼には「無理ですよ」とはっきり断ったが、できる限りサヤーのおねだりには応じた。「ください病だ」と揶揄するビルマ人の友人もいたが、私には憎めない性格だった。

上座仏教の信仰では、人は死とともにその魂が肉体から離れ、来世に続くと信じられている。サヤーが来世で、司法が普通に機能している国に生まれ変わり、弁護士として活躍されることを祈ってやまない。先生、本当にお世話になりました。

（二〇〇八年九月執筆）

トイレ使用は課長決裁

不思議なもので、海外においてあれほど切羽詰った体験というものはほかにそうないはずなのに、旅に出かけるたびに書き連ねている自分の日誌には一行も記されていない。やはり、書き残すには恥ずかしいエピソードだったのだろうか。

ビルマの歴史研究を専門とする私は、二〇回にわたる長期滞在を含め、これまでにこの国を計一九回訪れている。そのうちの一回である一九九四年暮れの三週間ほどの滞在において、ビルマ中央部の平原地帯をビルマ人の知り合いと一緒に車で移動中、非常につらい経験をした。本稿のタイトルから想像がつくように、それはトイレに関する「事件」であった。

東南アジア大陸部の西側に位置する上座《じょうざ》仏教国のビルマは、熱帯モンスーンの気候帯に属するだけに、当然のことながら、日本のような温帯の国から来た人間は水や食べ物に十分注意しないと、下痢やアメーバ赤痢などで苦しむことになる。隣のタイは一九六〇年代から続く長期の経済発展のおかげで、首都のバンコクはもちろん、地方をまわってもこのような苦しみと直面することはほとんどないが、ビルマの場合、数十年にわたる経済停滞のなか、ヤンゴンの上下水道環境の悪さや、地方都市の衛生水準の低さが災いして、たとえ水や食事に注意を怠らなくても、一過性ないしは悪性の下痢に苦しむことが多い。

ビルマのトイレ事情

この国の一般的なトイレ事情から先に説明しておこう。ビルマでは、ごく一部の裕福な市民や外国人が住む豪華な家、また彼らが泊まる外資系ホテルを別にすれば、水洗トイレというものは例外的にしか存在しない。よくあるパターンは、便器の横のドラム缶に水が溜まっていて、それを小さなプラスチック容器で汲んで自分の排泄物を流すという原始的な「水洗」トイレである。汚物はそのまま地中に流れて溜まり、その後「自然に戻る」というシステムなので、私たちが日本で使っている水洗トイレとは基本的に異なる。

農村部に行けばこのようなトイレすらまれで、高床式の家のトイレの真下に家畜として飼われている豚が待機して、人間の「落し物」を食べるという光景に出くわす。環境の面では地球に負荷をかけないすばらしいシステムだが、衛生面では疑問符がつく。ただ、このようなビルマ式の一般的トイレでも、個室空間は保証されているし、また台所や居間とは離れたところに存在するのが普通なので、その点はほっとさせられる（インドや西アジアの国々ではこれらが守られていない場合がある）。

問題は地方旅行でのトイレである。ビルマではいわゆる公衆トイレというものが非常に少ない。あっても都市部や一部の観光名所に限られる。バスで長距離を移動する場合、金持ちや外国人を乗せる豪華バスは別として、一般人を乗せる通常のバスは、二、三時間に一回くらい、トイレ休みのために人のいない草原地帯に止まり、用足しをしたい乗客を降ろす。人々はあちこちに散らばり、男でも女でもそれぞれ上手にしゃがんで用を足す。車で移動している場合も同じで、トイレに行きたくなったら、運転手に「適当なところで止めて」と頼み、あとは降りてしゃがんで草むらでする。

しかし、大のほうになると、当然のことながら、草むらでというわけにはいかない。これは外国人もビルマ人も同じである。何かトイレらしきものがどうしても必要になってくる。小さな町に入れば、飲食店があり、そこにはたいてい個室のトイレがあるので、それを利用させてもらうことになる。それらは例外なく前述した原始的「水洗」トイレであり、想像を絶するような汚れ方で排泄の気すらうせる「壮絶」トイレから、比較的きれいに掃除がしてある「許せる」トイレまでさまざまで、まさに運しだいである。

最悪の経験

こうしたビルマの地方旅行における私の辛いトイレ体験は、次のようなものである。その日、昼食で食べた何かがいけなかったのか、それとも昼食後に飲んだビルマ独特の甘ったるいミルクコーヒーが入ったティーカップにハエがたかっていたのが原因だったのか、いまだに理由は断定できないのだが、車で乾季のビルマ草原地帯を南に向かって移動中、急な下痢に襲われ、運転手に「どこかきちんとしたトイレのあるところに行って降ろして」と頼んだ。同乗していたビルマ人の知り合いもすぐに事情を察してくれ、運転手と相談しながら、運良く通過中の小さな町のなかで、役場を見つけることができた。役場ならまともなトイレがある。私は一安心した。しかし事態は緊急で、車から降りてトイレまで歩くのすら必死といった状況であった。脂汗がしたたり落ち、顔面蒼白のなか、運転手とビルマ人の知り合いの付き添いで役場の玄関を入り、トイレを目指した。しかし、なんと、トイレには外から鍵がかかっていた。

急いで一階の受付らしきところに座る女性のところへ行き、知り合いが「この日本人にトイレを使わせてやってほしい。鍵を貸してあげてくれ」と頼んでくれたが、その女性の返事は全く想定外のもので、瞬間とはいえ、私は人生で最大の絶望感を味わった。

「トイレの鍵は二階の課長のところにあります。課長の許可をとって借りてください」

トイレ使用が課長決裁だなんて！　しかし、ここで怒ったり力を抜いたりしたら最後、それこそ人生最悪の事態を人前で演じてしまうことになるので、さらなる油汗をしたたらせながら、根性で階段をよたよたと上り、二階の課長の席の前までたどり着いた。ビルマでは役所の課長クラスでもよくサボって外にお茶を飲みにいったりしていることが多いので、階段を上っているときその心配が脳裏をかすめたが、幸い、まじめな課長さんだったらしく、着席して仕事をしていた。知り合いが再び、今度は丁寧なビルマ語で私の「事情」を説明してくれ、鍵を貸してくれるよう頼んでくれた。課長は笑顔で「そういうことなら、どうぞ」と言って、引き出しから鍵を取り出し、女性職員に手渡してくれた。

あと一五秒もしたら人生最悪の瞬間に至るという限界状況にあった私は、そのときお礼の言葉を言ったかどうか覚えていない。案内をしてくれる若い女性職員の後を必死についていって、彼女がトイレの鍵を開けてくれたと同時に中に飛び込んでドアをバタンと閉め、ぎりぎりセーフで事に及んだ。ふーっ、と安心のため息が出た。

自分で水を汲んで流す典型的なビルマ式「水洗」トイレだったが、役所の鍵付きトイレだけあって、とてもきれいに維持してあり、外国人の私でも不快感なく使えた。事を終えた後、物理的にも精神的にも余裕ができた私は、あらためて二階の課長席まで行き、今度はしっかりお礼を言った。課長はこのときも笑顔だった。トイレの鍵を開けてくれた女性にも感謝の挨拶をして、役場をあとにした。車の中ではしばらく無言だったが、知り合いが「大丈夫だったか」と聞いてきたので、「大丈夫。トイレ使用が課長決裁というのは驚いたけど、ビルマ研究者としてはたいへん貴重な経験をしましたよ」と返事をしたら、大笑いされた。知り合いもトイレ使用に課長の許可がいるということは想像していなかったらしい。幸い、一過性の下痢に終わり、その日の夕方には無事目的地に着いて荷を解くことができた。

あれから一五年たった今では思い出話のひとつとして語れるが、当時の状況を細かく思いだせば思い出すほど、今でも脂汗がしたたりおちる錯覚に陥る。もう二度としたくない経験である。

（二〇〇九年一一月執筆）

「馬車運」の悪い留学生

馬車は日本ではもう過去の乗りものである。しかし、東南アジアの多くの国々では、いまでも地方都市や農村において現役の交通手段として活躍中である。私が歴史研究の対象とするビルマでもそうである。最大都市ラングーンでこそ馬車は過去のものとなって久しいが、地方都市や田舎へ行けばまだまだ普通に見かける。

一九八五年から八七年にかけて、私は日本の国費留学生としてビルマで生活した。滞在中、国内あちこちを旅行し、その際、行った先で馬車に乗ることが三回あった。だが、いずれも大変な目に遭い、私は「馬車運」の悪い留学生にちがいないという確信を抱いた。そこまでに至る顚末を紹介したい。

第一話　馬車と共に沼地に転落

留学して三ヵ月目の一九八六年一月、私はビルマ教育省から公式の旅行許可を得て二週間弱の

シュウェボー「馬車転落」事件　動けなくなった老馬　1986年1月（著者28歳）

国内旅行に出た。同行者は先輩格にあたる日本人留学生Sさんとビルマ人の友人四人の計六人。ビルマ東北部のシャン州をはじめ、中央平野部の古都マンダレーやパガンをめぐる旅であった。歴史好きの私はマンダレーに滞在中、教育省が許可した旅行範囲から逸脱することを知りながら、日帰りでマンダレー北方にあるビルマ最後の王朝（コンバウン朝）発祥の地シュウェボーに行こうと提案、みんなの快諾を得た。

特急と称するトラック改造型のバスに揺られて二時間二〇分、着いたシュウェボーはさえない田舎町で、乾季だったこともあって街中がほこりっぽく、どう見てもコンバウン朝最初の都があったところとは思えなかった。さっそく付近の「観光名所」をまわろうと馬車を一台雇いあげた。Sさんが馬を見て「弱そうに見えるけ

同「馬車転落」事件　地元の人から頂いたロンジーに着替える　1986年1月（著者28歳）

ど大丈夫？」と御者に確認したが、「大丈夫」という自信に満ちた返事があったのでそのまま六人で乗った。小さな馬車に御者を含め七人、それもSさんは身長一八〇センチ・体重一〇〇キロ弱、私も身長一九二センチ・体重八〇キロの「巨漢」だったので、馬車は実質大人八人が乗ったのと同じだった。

馬はどうみても老馬で、平地の道をのろのろと進んだ。それでも坂のない町だから大丈夫だろうと安心し、ゆったりした移動を楽しもうと心がけた。しかし、悲劇はすぐに起きた。町のなかに運河が流れており、そこにかかる橋を土手から曲がって渡ろうとしたときである。橋に上るわずかな坂で老馬が力尽きて止まってしまった。御者が老馬の背中を激しく鞭で打ちはじめたが、馬はうめき声をあげるばかりで何もできず、馬車のほうはずるずると後ろに下がり始めた。後ろの端に乗っていた私は土手のすぐ下に沼地が広がっているのを見て思わず「わーっ」と大声を出した。

その直後、馬車は真後ろに土手からその沼地に転落した。私は投げ出され、体の半分が沼の中に埋まった。Sさんやビルマ人の友人たちに助け起こされ、幸い私を含め誰にもけがはなかったが、泥だらけになってしまったため、土手にはい上がり、運河に降りて服を洗いはじめた。まわりから多くの人々が私たちを見にやってきて、純朴な彼らは泥にまみれていた私に新しいロンジー（ビルマ人が着る巻きスカート風の着物）を手渡してくれた。これはとても助かった。一段落して事故現場を確認すると、馬車は沼地に落ちて崩れており、哀れな老馬は倒れて意識を失っていた。足を折ったのかもしれない。ひどいことに御者は現場から逃げだしてしまっていた。

旅行を終えてラングーンに帰り二週間がたったころ、私は留学先の国立外国語学院の校長に呼び出された。許可範囲を逸脱してシュウェボーに旅行したことがばれてしまったのである。官僚的な口調で厳重注意を受けたが、校長がシュウェボーでの「事件」を知った経緯は、同地の人間がラングーンの当局に「事件」を通報したからだということが示唆された。「馬車運」の悪さのはじまりだったが、まだそういう認識はしていなかった。

第二話　御者にビルマ人の知り合いブチギレ

同じ一九八六年の四月、今度は一人でマンダレーを再訪した。現地に住む知り合いの女性公務員Mさんが市内を案内してくれるというので、楽しみにしてやってきた。ホテルから電話をするとMさんが妹を連れて来てくれた。気温が四〇度を超える酷暑のなか、一緒にホテルを出ようとしたが、ホテル内に潜んでいた公安刑事が玄関口でMさんを呼び止め、「日本人と一緒にどこへ行くのか」と威圧的に聞いてきた。美しい顔立ちで性格の強いMさんは、「日本の留学生に古都マンダレーの文化を見せてどこが悪くて?」とぴしゃりと答えたので、公安は何も言わずホテル内に戻っていった。ぼうぜんと見守る私だったが、Mさんはこの件で気分を害し、それまでの微笑みがすっかり消えてしまった。公安はMさんを売春婦だと誤解したのだろう。失礼な話である。

そのとき、ホテルの前を馬車が通った。Mさんはそれを呼び止め、行き先を言って値段交渉に入った。御者が最初にいくらと言ったのかは聞きそびれたが、その後のことは一生忘れられない。公安の件で機嫌を損ねていたMさんが激怒したのである。「ふざけないで! こんな短い距離、五チャットに決まってるでしょ!」。彼女の大声がホテル前の歩道に響いた。当時の五チャットは日本円になおせば三〇円程度、御者は恐らくその二倍以上をふっかけたのだろう。結局、七チャットで乗ることになったのだが、彼女の怒りはおさまらず、その日は一日中、私をあちこち案内してくれながらもご機嫌ななめだった。馬車に関する二度目の「不運」と直面した私であった。

第三話　カーチェイスならぬ馬車チェイス

二度あることは三度ある。留学生活も終わりに近づき、あと一ヵ月半ほどで日本に帰国するという一九八七年九月初旬、今度は前述の二話とは異なるスリリングな馬車体験をした。

その日、高原地帯のシャン州からバスで平野部のマンダレーに降りてきた私は、同行者のビルマ人弁護士T先生と共に、市内のホテルに移動すべく馬車に乗った。客は我々二人だけ、馬車は快適に走りだした。ところが様子がおかしい。どんどんスピードを上げていくのである。T先生が「スピード上げすぎだぞ」と叫んでも御者は無言だった。車輪が外れるのではないかと思うくらいにスピードが増し、いよいよ危険を感じたので、二人で御者に「止まれ！」と絶叫したが止まらない。そのうち、急に道を曲がったり、ホテルと関係のない方向に走り出したので、完全にこの馬車はおかしいと確信、恐怖心が高まるなか、ふと後ろをみたら、なんと警察の車がこの馬車を追跡しているではないか。そう、これはカーチェイスならぬ馬車チェイスだった。

最後にあきらめて止まった馬車だったが、御者は実は指名手配犯で、警察に気付いたため我々を乗せたまま逃走を開始、しかし力尽きたのである。我々の目の前で逮捕劇が演じられたあと、弁護士のT先生は警官が事情聴取のため我々を警察署に連れて行こうとするのを強引に断って、現場を通りかかったタクシーをつかまえ、無事ホテルに着くことができた。T先生にとってもこの「事件」は想定外のできごとだったようで、その後もよく話題にしていた。

ビルマ留学を終えてから二三年がたつ。その間、一四回同国を再訪しているが、幸い（？）馬車に乗る機会はなく、「馬車運」の悪さが今もつきまとっているのかどうかはわからない。しかし、留学していた二年間、私の「馬車運」は間違いなく悪かった。そのことだけは確かである。でも、それはいま、ほほえましい思い出に変わりつつある。

（二〇一〇年一二月執筆）

おいしくないトウモロコシの理由《わけ》

「期待と実際が大きく違う」ということは人生でよくあることだが、いまから二五年前に留学先のビルマの汽車の中で食べたトウモロコシの味もその一つである。私にとってトウモロコシは常に甘くておいしい日本のスイートコーンに他ならなかった。そしてそれは、どの国で食べても基本的に同じはずだという思い込みがあった。その幻想をぶち壊してくれたのが、あのときのビルマのトウモロコシだったのである。

一九八五年から八七年まで、私は日本の国費留学生としてビルマ連邦社会主義共和国に留学していた。当時の首都だったラングーンの大学教員寮に住みながら、国内各地をいろいろまわり、一九八七年二月には南部の港町モールメイン（モーラミャイン）に三泊四日で出かけた。行きは長距離バスを利用したが、帰りは鉄道を利用し、モールメインの対岸にあるマルタバン（モウッタマ）駅から出る早朝のラングーン行き始発列車に乗った。青空のきれいな日だった。

気温がぐんぐん上がり三〇度を軽く超えたころ、鉄道はのんびりと時速五〇キロくらいで稲作地帯を走っていた。ほとんど朝食らしい朝食を取らなかった私は、一緒に旅についてきてくれたビルマ人の親友と共に、途中で食べ物を買うことにした。とはいっても、列車に食堂車はないし、時々外から飛び乗ってきて「車内販売」をやっては飛び降りていく「ゲリラ売店」の人たちから買う気も起こらなかった。そこで列車が駅に停まるたびにいろいろな人が食べ物を売りにやってくるのを利用することにした。

ある駅に停車したとき、ホームですぐに目に入ったのがトウモロコシだった。若い女性が茹《ゆ》でたてのトウモロコシを何本か並べたお盆を頭上に載せ、こちらにすたすたと近づいてきた。人なつっこい表情で「できたての茹でトウモロコシはいかが?」と声をかけてきた。私は窓から身を少し乗り出して値段を聞いてみた。想定内の額だったので親友の分も含め二本買うことにした。すると売り子は「サイズが小さいから四本買わない? 安くするから」と言ってきた。私はとてもおなかがすいていたので悩むことなく「じゃ、そうしよう」と即答した。売り子は続けて「思い切って全部買わない? 六本あるけど……」とたたみかけてきた。これには一瞬ひるんだ。

しかし、親友と一緒だから六本くらい問題なく食べられるだろうと判断し、また売り子の女性の笑顔に負けたこともあり、「わかった、全部もらうよ」と答えてしまった。女性はこれ以上はないという笑顔を見せると、六本のトウモロコシを大きな葉っぱにくるみ、こちらに手渡してくれた。私は当初の言い値より二〇%くらい割り引いてくれた代金を支払った。

席に座ってふと横にいる親友の顔を見ると、なぜか浮かない顔をしている。彼は「本当にトウモロコシを六本も食べるのか」と私に聞いてきた。「もちろん三本ずつ二人で分け合うんだよ」と答えたが、親友は「僕は一本で十分だ」と面白くなさそうな表情で言うので意外に感じた。まさか親友がトウモロコシを嫌いなはずもあるまいと私は無邪気に思い、彼が心のなかで何を気にしていたのか全く想像できなかった。当時の私はビルマに留学してから一年半がたっており、その間、好物のトウモロコシを食べる機会が一度もなかったので、葉っぱを開き一本目の黄色いあつあつの粒を見たとき、うれしさと喜びが心の中に満ち溢れ、期待をもってかじりついた。

しかし……、「異変」に気付くのに一秒もかからなかった。まったくおいしくないのである！固いし、ちっとも甘くないし、ぱさぱさした感じで、私がイメージするトウモロコシの概念から全くはずれたシロモノだった。表情が凍てつき、食べるスピードが上がらない私を見た親友は、「トウモロコシを半ダースも買うなんて、僕には信じられない。こんなもの……」と言葉をもらした。「えっ？　なぜそれを先に言ってくれないの？」と思ったが、その瞬間、私は遠い昔の小学校の担任の先生の話を思い出した。

その先生はアジア太平洋戦争の末期、学童疎開のため東京の親元を離れ、栃木県に移り住んだ経験を有していた。ある日の学級会で、トウモロコシを遠足のお弁当の一部として持って行って良いかどうかをこの先生に尋ねた同級生がいた。先生は「別にかまわないけれど」と答えたあと、「先生は戦争中、学童疎開で毎日毎日トウモロコシばかり食べさせられたんだよ。だからもう二度と食べようとは思わないんだ」と付け足した。私たちは驚き、「えーっ?! 先生、トウモロコシを毎日食べていたんですか。うらやましい! それを今は食べないなんて信じられない!」と大騒ぎした。既にこの頃(一九六〇年代後半)、日本では現在ほど甘くはないものの「スイートコーン」なるものが出回っており、一九五〇年代後半生まれの私たち子どもにとって、トウモロコシはおいしい食べ物の一つとして当然のように認識されていた。先生が「学童疎開のときに毎日食べさせられたあのトウモロコシはおいしくなかったんだ。全然いい思い出がない」といくら説明してくれても、その意味するところが全く理解できなかったのである。

それから二〇年ほどがたち、ビルマの汽車のなかでおいしくないトウモロコシとショッキングな出会いをした私は、この先生の話を思い出すことによって「おいしくないトウモロコシの理由《わけ》」が一瞬にしてよく理解できるようになった。すなわち、トウモロコシは世界的にみて食糧危機から人類を救ってくれた貴重な穀物の一つとはいえ、もともと固くて、甘くなくて、ぱさぱさした食べ物なのである。やわらかくて甘くてそれなりに水分も含まれたおいしいトウモロコシというのは、人間がぜいたくを覚えて品種改良を続けた結果、先進国でのみ手に入るようになった特殊なトウモロコシなのである。私が留学当時のビルマにおいては、トウモロコシはまさに「単なる」穀物の一種類に過ぎず、お腹を満たす食べ物ではあったものの、おいしさを楽しむものではは断じてなかった。

汽車のなかの私は自己責任を果たすべく、六本のおいしくないトウモロコシのうち五本を義務として食べ切った。我ながらたいしたものだと思う。残りの一本は親友が食べたが、半分を残して列車の窓から投げ捨て、走り寄って来た野良犬にやった。これも忘れられない光景である。ただ、その犬がトウモロコシを食べたかどうかは覚えていない。

（二〇一三年二月執筆）

おいしいトマトジュースの理由《わけ》

ビルマ留学

一九八五年一〇月から二年間、私は日本の文部省の奨学金を得て、ビルマ連邦社会主義共和国に留学していた。ラングーンにある大学教員寮に住みながら、国立外国語学院（IFL、現・国立外国語大学UFL）に開設された留学生用のビルマ語学科で学び、語学力がついた二年目からは国防省の公文書館に通って史料調査をおこなった。また全国各地をまわって、英領植民地期や日本占領期を経験した人々（特に独立運動関係者ら）への聞き取り調査もおこなった。

留学中は老若男女を問わず、様々なビルマ人と付き合い、多くの友人や知人を得ることができた。そしていろいろな場面で彼らに助けられた。聞き取り調査が比較的順調におこなえたのも、こうした方々のおかげである。二年間の留学中、私は一度もビルマ国内から出ることなく、インターネットのない時代、日本のニュースも日本大使館のほうから一ヵ月遅れでまわってくる新聞を通じて知るだけで、ほとんどビルマ人とだけつきあう生活を送った。途中、インフルエンザやアメーバ赤痢で一～二週間寝込むこともあったが、いつもビルマの友人たちが助けてくれた。

留学最後の苦労

一九八七年一〇月に入り、帰国まであと一〇日間という時期になると、私はビルマの役所相手の面倒な手続きや、荷物の整理、友人や知人たちへの挨拶、そしてフェアウェル・パーティーへの出席に忙しい日々を送った。そのときの心理は、「やっと日本に帰れる、うれしい」という気持ちが半分と、ビルマでの生活に慣れ、多くの友人に恵まれ、ビルマ語もほぼ不自由なく使えるようになった自信があったため、「もっとビルマに残りたい、残念」という思いが半分ずつだった。両者が心のなかでせめぎあっていたといえる。とはいえ、じっくり考える暇などなく、毎日やるべきことに専念し、夜は疲れてぐっすり寝るという感じだった。

この段階で一番苦労したのは、留学中に入手した六〇〇〇冊を超える本や資料の日本への持ち帰り方法だった。すべてビルマ国内で合法的に出版（印刷）されたもので、貴重な資料も数多く含まれ、帰国後の私の研究に大いに役立つはずだった。ところが、これらを船便で送るとなると、当時のビルマ政府が課した煩雑《はんざつ》な手続きを克服する必要があった。まず、内務省や教育省など四つもの役所に、六〇〇〇冊すべての題名・著者・出版社・出版年・一～二行程度の内容紹介を記した詳細なリストをあらかじめ提出しなければならなかった（これだけでもため息が出る）。そのうえで数ヵ月間の審査を経て、四つの役所すべてがＯＫと認めた本のみ、日本への発送が許可されるという制度だった。「認定基準」は厳しく、ビルマ国民文学賞を獲得した現代文学の作品でも、内容が社会主義リアリズムに基づいて当時のビルマ社会の負の側面を取りあげていれば、「外国人が読む必要のない本」という理由で却下される可能性が高かった。

幸い、ある知り合いのご厚意により、その方が公務を終えて日本に帰国される際の船便に三〇〇冊（約半分）ほどまぎれこませていただくことができた。しかし、残り三〇〇冊については良い方法がなく、悩みに悩んだ。そのとき大活躍してくれたのがビルマ人の親友たちだった。彼らは「直接飛行機で持って帰るしかない」といって、なんと空港の税関職員と私抜きで事前に「話し合い」の場を持ち、「ジョニ黒六本の供与」で、当日の「税関通過ＯＫ」という確約をとってくれたのである。私は半信半疑のまま、当時ビルマで「全能」といわれたジョニー・ウォーカー（黒ラベル）を半ダース購入し、親友に手渡した。出発前日のことである。

最後の日、空港で

翌日、留学最後の日、すなわち私がバンコク乗り換え便の飛行機に乗る日、寮の部屋に親友たちが朝から来てくれ、最後の作業を手伝ってくれた。昼前には外国語学院のビルマ語学科の先生方もわざわざ来てくださった。午後早めに親友らと車に乗って空港へ向かうと、そこでは彼らを含む計九人のビルマ人に加え、日本人八人、フランス人と韓国人の留学生各一人の総勢一九人が、見送りに来てくださっていた。この数には本当に驚いた。二年間の留学の日々が走馬灯のように思い出され、感謝の気持ちに満ちあふれ、涙がこぼれそうになった。

出国手続きをはじめると、ビルマ人の親友が突然、「君には負けたよ」と言ってきた。何のことかわからず、「えっ、何で？」と聞き返した。彼いわく「二年間、君はいっさい女遊びをしなかった。私が知る独身男の日本人で初めてだ。いつかは遊ぶだろうと確信し、いろいろ誘ってみたのに、ついにその日は来なかった。私の負けだ」。

私はどのように返答して良いか困り、適当に笑ってごまかした。確かに私は「女遊び」はいっさいやらなかった。そういうことが好きでないからだ。しかし、それをビルマの親友にほめられたことが不思議でならなかった。もしかしたら、ビルマ人の女性を「モノ扱い」することのない「良い日本人」とでも思ってくれたのだろうか。「私の負けだ」というビルマ語表現を実際の会話のなかで聞いたのは、いまのところ、これが最初で最後である。

言うまでもなく、空港で親友たちが一番心配してくれたのは、例の大量の本のことだった。「ジョニ黒効果」が本当にあるのか、私も非常に心配だった。彼らから「出国手続きの際、向こうから何か聞かれない限り、けっして口を開くな」と固くいわれた。税関審査の場所まで進んで、ジュラルミンのトランク四個をはじめとする計七個の荷物を恐る恐る審査台に乗せると、職員の一人が私のパスポートを開いた。すると表情も変えず、「中身は本だけだね」と聞いてきた。私は「はい」と答えた。それだけだった。荷物はすべてフリーパスとなった。荷物を開けてもいないしこちらから説明もしていないのに、事前に中身を知っていたということは、「ジョニ黒の力」恐るべしである。

ちなみに、友人たちは出発の際、私が乗るタイ航空バンコク行きのカウンター職員とも「話し合い」の場を持ち、制限量を超えた私の荷物の追加料金を成田まで無料扱いにするよう交渉してくれた。その結果、バンコクまで無料となり、そこから成田まではラングーン支店の職員に権限がないため、全額を支払った。こちらは「ジョニ黒不要」だった。

そして機内で

いよいよすべての手続きを終え、飛行機のタラップを登って機内に入るとき、私は後ろを振り向いて、見送ってくださる一九人の方々に大きく手を振った。このときも涙がこぼれそうになったが、こらえた。

日本の文部省が成田までの航空券を正規のエコノミー料金で購入して送ってくれたので、タイ航空の判断でビジネス・クラスに乗ることができた。文部省に感謝である（いまは絶対無理だろう）。

窓側の座席に座り、もう一度空港の建物に目をやると、多くの人々がこの飛行機に向かって手を振ってくれていた。涙がますますあふれそうになったが、今度もかろうじてこらえた。

そのとき、キャビン・アテンダントがウェルカム・ドリンクを何種類か持ってきた。私は迷うことなくトマトジュースを手にとった。ビルマ留学中の二年間、大好きなトマトジュースを飲む機会に一回も恵まれなかったので、ごく自然に手が出たのである。

一口飲むと、その「文明の味」のおいしさに、私の肉体と魂は激しく揺さぶられた。「やっと帰国できる！」という喜びが「もっとビルマにいたい」という気持ちを一気に上回り、私の目から大粒の涙がぽろぽろとこぼれ落ちた。もはやこらえることはできなかった。「この涙は二年間の留学への感謝の思いなのだ」と言い聞かせつつ、実際はトマトジュースのおいしさに全身で感激したためあふれ出る涙を、私はとめることができなかった。

（二〇一四年一月執筆）

ビルマ軍政が最も恐れた男――ミンコーナイン

ビルマの軍事政権が最も恐れた女性といえば、アウンサンスーチーであるが、彼らが最も恐れた男は誰か、皆さんはご存じだろうか。

その人物はミンコーナインという。一九六二年生まれの彼は、一九八八年にビルマ全土で民主化運動が展開されたとき、弱冠二六歳の学生運動指導者として注目を集め、その人気はアウンサンスーチーに匹敵するものだった。それだけに軍事政権による封じ込めは徹底的で、通算二〇年間も政治囚として投獄された。それでも彼は「転向」することなく、祖国の民主化を目指し不屈の抵抗を貫いた。

二〇一一年三月に軍政に終止符が打たれ、限定的とはいえ民政に変わると、翌二〇一二年、民主化が進むなかで彼は恩赦により刑務所から解放された。自由を取り戻したミンコーナインは、政党政治とは距離を置きながら、ビルマにおける市民社会形成を目指して地道な活動を開始する。さまざまな人たちや団体とゆるやかに連携し、軍の特権を保障した現行憲法の改正を求める署名運動の展開や、宗教間・民族間対話の試み、幅広い文化的活動などに力を入れている。

彼の名前はビルマ語で「(悪政を行う)王に勝つ」という意味を持つ。そのうえ「獄中二〇年」「非転向を貫いた闘志」となれば、屈強な男のようなイメージが思い浮かぶかもしれない。けれども、実際の彼はやさしい顔にふつうの体つきで、詩作や小説の執筆、絵を描くことを好み、活動家というよりも文化人としての雰囲気に満ちた人物である。講演での語り方もソフトで、磨かれたユーモアのセンスで聴衆の心をつかむのもうまい。

そのミンコーナインが二〇一四年に初来日した(一一月二八日～一二月八日)。招聘《しょうへい》元は大阪大学大学院国際公共政策研究科が推進する「アジア平和構築ウェブ展開」プロジェクトである。一一月二九日に大阪(阪大中之島センター)で講演会が開催され、一二月六日には東京(上智大学アジア文化研究所)で公開セミナーが行われた。両会場とも満員盛況で、大阪では二〇〇人以上、上智大学でも定員一〇〇人の教室に一五〇人が来場し、立ち見が数多く出た。彼はとりわけ女性に人気があり、大阪でも東京でも講演会終了後の来場者との交流時には数多くのビルマ人と日本人の女性に写真撮影をせがまれていた(もちろん男性もいたが)。

彼が語った話の中には感動的なものが多い。その中から一つだけ紹介したい。獄中二〇年、それも大半が独房暮らしで、刑務所を何度も移され、家族との面会も著しく制限されたなか、彼は新聞も本も読ませてもらえない環境に置かれていた。活字に飢えた彼は、たまにビルマの伝統紙巻き煙草（セイボーレイッ）が手に入ると、それをばらばらに分解し、中から古新聞の端をみつけては広げ、そこに印字されたわずかな活字を熱心に読んだ。古新聞といっても国営新聞なので、記事内容は官製のつまらないものばかりである。それでもあるとき、北欧に住む男性が自分の庭の木で巣をつくり抱卵していた鳥が飛び去ってしまったのを見て、代わりに自分で孵《かえ》し、雛《ひな》を育てているというごく短い外電を読むことができた。国営新聞でも政治性のないこのような海外ニュースは載せていたのである。ミンコーナインはこの記事を読んで、「世の中には悪辣《あくらつ》な人間もいるが、このように親鳥のかわりに卵を孵し、雛を育てる善良な人間もいるのだ」と感激し、引き続き獄中でがんばろうと決意したという。うす暗い独房の中で長期にわたり社会と隔絶されていたからこそ、偶然接したこの記事に彼はことのほか感動したのだろう。私はこの話を聞いたとき涙腺がゆるんでしまった。

ところで、軍政はなぜミンコーナインを恐れたのだろうか。アウンサンスーチーの場合、国民が尊敬する「ビルマ独立の父」アウンサン将軍の娘なので人々の注目を浴びやすく、外国生活が長く西欧的な人権感覚を身につけており、英語で直接メッセージを国際社会に発信できる女性でもあるため、軍政はその点を恐れ、彼女を計一五年にわたる長期自宅軟禁に処したのだと解釈できる。それに比べたら、ミンコーナインは有力な出自でもないし、外国体験もなく、英語も得意ではない。そのような男を二〇年間も獄中に閉じ込める必要がなぜあったのか。軍政が彼を二〇〇七年に三度目の投獄に処したとき、その理由は電子メールを四通、外国の要人に彼が発信したということだけであった。メール一通につき懲役一五年、四通分プラスアルファで計六五年という信じがたい長期刑を与えたわけだが、そこまでして彼を社会から抹殺しようとした理由は何なのか。

そのことを考えるとき、彼が一九六二年生まれで、ビルマから一度も外国に出ることなく、一九八八年まで普通に生きてきた青年だったという事実に注目しないわけにはいかない。一九六二年という年は、ビルマ国軍が最初のクーデターを起こし、それまで続いた議会制民主主義を倒し、軍が主導する独特の「ビルマ式社会主義」体制をスタートさせた年である。ミンコーナインは軍主導の「ビルマ式社会主義」のもとで、小学校から大学までフルに教育を受けてきた人間だと言える。その教育体制は、人々が「問いかける」心を持たないように導く教育であり、暗記中心で、物事を考えるということをさせず、上の人のいうことを忠実に守ることを「良し」とするところに特徴があった。

ミンコーナインはしかし、そのような教育を受け続けても「問いかけ」の心を自力で持つようになった。それによって自分が住む国の政治的矛盾に気づき、一九八八年には自分の言葉で現状への批判とより良き未来への展望を語り始めたのである。そこに人々の心を深くつかみとる話術も加わったため、短期間に多くの支持を集めたのだといえる。

軍政はその彼を見て、アウンサンスーチーに対する恐怖とは異なる、より「本能的な恐怖心」を抱いたと想像できる。アウンサンスーチーに対する軍政の当初の認識は、彼女は外国生活が長いのでビルマのことをよく知らず、自宅軟禁中に認識を変えるだろうという単純なものだった。一方、ミンコーナインは「純国産」であり、アウンサンスーチーのように「外」の世界との比較で祖国の問題点を「発見」したのではなく、自分自身で問題を発見し、自国の政治的閉塞状況に気づき、その改革のために自分の言葉で語り始めた。ビルマ語だけを駆使し、国内の学生を糾合して民主化運動を牽引した彼に、軍政は「我々は考えることを促さない教育を施してきたにもかかわらず、なぜ彼のような『問いかける』心を持つ青年が育ってしまったのか」と焦りと恐怖を抱いたはずである。彼がどんな苦境にあっても獄中で「転向」を拒否したことも、軍政をいっそう恐れさせたことは想像に難くない。

ミンコーナインとアウンサンスーチーは祖国を民主化と国民和解の道に導くという点において、抱く目標は一致している。アウンサンスーチーは現実の生々しい政党政治に加わって活動し（現在は下院議員）、ミンコーナインは市民と共に活動を続けながら、祖国に市民社会を形成すべく努力する道を選んだ。両者は違う道を歩みながらも同じゴールを目指している。ここにビルマのより良き未来がうっすらとではあるが見えてくる。

（二〇一五年二月執筆）

負の記憶の語られ方——日本占領下のビルマを生きた人々

私はビルマの近現代史研究を専門とし、なかでもアジア太平洋戦争時に日本軍がこの国を占領した期間（一九四二年～四五年）に関する研究に相当な時間と労力をかけてきた。その際、この「時代」をリアルタイムで生きた一〇〇人以上の人々に対する聞き取りも行っている。

聞き取りは体験者の実存を、口から発せられる言葉を通じて直に受け止める作業である。それだけに、聞く側と聞かれる側の相互の関係性が内容に複雑に反映し、常にスリリングな試みになりやすい。ここでは、これまでに行った聞き取りの中から興味深い事例を二つとりあげ、本人が抱く「負の記憶」がどのように私に向けて語られたか、具体的に紹介することにしたい。

ある農民ゲリラの語り

まだ二〇代の終わりだった一九八五年から八七年にかけて、私は日本政府（文部省）の国費留学生としてビルマに長期滞在する機会を得た。現地ではビルマ語の学習に加え、本来の目的である日本占領期に関する資料調査や聞き取り調査をおこなった。そのときの話である。

最大都市ラングーンから北に三五〇キロほど行ったところに、ピンマナーという小都市がある。現在の首都ネイピードーのすぐそばに位置する古い町である。ここは一九四五年三月末から展開された抗日ゲリラ闘争の中心地域の一つだった。数百人の規模にすぎないとはいえ、農民がゲリラ兵として動員され、ビルマ国軍の正規兵と共に、日本軍に対するゲリラ戦をおこなった。そうした歴史があるため、私はこの町の郊外にある村々を訪ね、農民ゲリラに参加したことのある人々を何人か紹介してもらい、それぞれから話を聞かせてもらった。

そのうちの一人は、私が事前にビルマ国防省の公文書館に所蔵されている文献資料で調べた内容に関する質問に答えたうえで、全部で一七回経験したという実際のゲリラ戦の様子を淡々と話してくれた。私はそれらを聞いたあと、質問の最後に、抗日ゲリラとして日本軍と戦うことになったときに感じた「思い」について聞いてみた。それに対する答えも淡々と語られたが、内容は次のような深刻なものだった。

「はじめはビルマに反攻してきた英軍と戦うためという名目で、ゲリラの訓練に参加させられたが、訓練の最後の段階で敵は英軍ではなく、実は日本軍だと隊長に聞かされ、心が高鳴った。日本兵は我々の牛を盗み、家畜を撃ち殺し、食糧を徴発した。飛行場建設などの労働に強制動員もされた。彼らは我々の村の僧侶をなぐったり、ひどいときは井戸に投げ入れたりもした。我々にビンタを張ることも多かった。彼らは女性に乱暴を働いた。私の義理の姉もその被害者の一人だった。彼らに復讐するにはこれがとてもよい機会だと思った。」

このように明らかな負の記憶（苦痛の記憶）を感情も乱さず、突然やってきた日本人である私に冷静に語るこの農民に対し、私は返す言葉がなかった。しかし、彼はそういう私を見て、続けて次のようなことも語った。

「今となっては、村の人間で日本兵を恨んでいる者は一人もいない。私も現在は許している。元日本兵たちが戦後、ビルマをなつかしく思い出してこの国を再訪していることについて、全く悪い気はしない。我々ビルマ人のものの考え方はそういうものなのだ。いつまでも怒りを長引かせないように生きている。日本兵に乱暴された女性の心の傷については何ともいえないが、四〇年以上もたったいま、被害者の女性であれ、加害者の日本兵であれ、どちらも年老いてしまっている。今さら問題を蒸し返したところで、どうしようもないことだ。」

この言葉を聞いて私は正直戸惑いを覚えた。それでも、上座《じょうざ》仏教徒が多くを占めるビルマ人の「ものの考え方」や、彼らが過去のつらい思い出をどう乗り越えようとして生きているのか、そのひとこまを垣間見たような気がした。上座仏教徒のビルマ人は、「許すけれど忘れない」(Forgive, but never forget)という生き方ではなく、「忘れることによって許す」(Forget and forgive)という生き方を好む傾向があるからだ。

だが、同時に、こうした「ものの考え方」を通して語られる彼らの過去の記憶を、歴史研究者としてどのように歴史叙述のなかに位置づけるのが良いのか、深く考え込んでしまった。いままでも確固たる解答は得られないでいる。

英系ビルマ人女性の葛藤

一方、日本軍による過去の加害を、一貫して「許せない」でいる人々もいる。私が二〇〇六年から〇八年にかけて数回にわたって英国、オーストラリア、ニュージーランドでおこなった二四人の英系ビルマ人に対する聞き取りにおいて、少数ではあるが、そのような人々と出会った。

英系ビルマ人とは、英国植民地下のビルマで、父方の血統に英語を母語とするヨーロッパ系の血縁を有した人々(いわゆる欧亜のハーフ)とその子孫のことを指す。ごく少数の例外を除いてキリスト教徒であり、英語を母語とし、文化的にも英国風を好む人々が多い。戦後独立したビルマがナショナリズム政策を強化させたため、彼らは国内で生活がしづらくなり、英国や豪州をはじめとする海外に移住した人々が少なくない。

彼らは日本占領期において日本軍から敵性国民と判断され、さまざまな生活上の制限や抑圧を受けた経験を有している。それだけにこの「時代」に関する彼らの記憶は多くがネガティヴなものであり、日本人である私と会っても、すぐには聞き取りに応じてくれないということもあった。

例えば、ロンドン北部の高齢者施設に住む英系ビルマ人の女性は、本人の甥を介して研究目的を告げたうえで紹介してもらったにもかかわらず、一回目の聞き取りでは何も私に語ってくれなかった。白人同様の容姿を持つこの方は、当時すでに八〇歳を超えていたが、女性らしい気品を十分にたたえていた。その後、クリスマスカードや手紙を送るなどして関係の維持に努め、二年おいた二度目の聞き取りで、やっと重い口を開いてくれた。そのときの前口上が忘れられない。

「一昨年、甥を通じて、日本人の大学教授が私と会いたがっていると聞いたとき、もう昔のことだから自分の体験を話しても良いと思った。でも、あなたを実際に眼の前にしたとき、いくらこの人は戦後生まれの日本人なのだと自分の理性に言い聞かせても、感情が許さなかった。だから前回はあなたに話をすることができなかった。あれから二年たってあなたの誠意を感じたので、今回は冷静に話ができるのではないかと思うようになった。」

私に対して「冷静に話ができるようになる」ために二年かかったこの女性は、つづいて次のような経験を語った。

「三人姉妹の私たちは、ビルマ高原地帯の町メイミョウに住んでいた。日本軍侵入時に国外への脱出に失敗し、両親と共に英系ビルマ人の収容所に入れられてしまい、そこでの生活を強制された。父は過労が原因ですぐに病気で亡くなり、その後、母と私たちは日本軍部隊の手伝いをさせられた。料理や洗濯、裁縫といった作業はさほど困難なくこなせたが、日本軍将校の酒の相手をさせられるのはとても嫌だった。ある日、母のところに日本軍の大尉がやってきて、娘三人のうち誰でもよいから「慰安婦」として日本軍に提供せよと命令した。母は娘を差し出すくらいだったら三人を殺して自分も死ぬと主張し、激しく拒絶した。大尉は最後に根負けして去って行った。」

彼女が語ったこの経緯はリアリティに満ちている。日本占領期にこのような恐怖を経験した彼女は、戦後、シンガポールやタイでタイピストや秘書の仕事をするようになっても、日本人との接触をできるだけ避けてきたという。その気持ちは容易に理解できた。だからこそ、戦後生まれとはいえ、日本人である私（それも男！）による聞き取りを受け入れてくれたことに心から感謝した。今でも私は彼女にクリスマスカードを送り続けている。

（二〇一六年三月執筆）

忘れじの「困った」学生たち

大学の教員を長年やっていると、「困った」学生たちとの出会いがあり、優秀だった学生たちとは別の意味で、忘れられない存在と化すから不思議なものである。ここでは「二〇年時効」と「本務校排除」という原則を勝手に適用し、いまから二〇年以上前に、非常勤講師先の複数の大学で出会った「困った」学生たち五人の思い出について、それぞれ紹介してみたい。

まずはA君。彼は三年生のとき、私の講義科目をとった。比較的高度な専門科目で、受講生はわずか六人、それも落伍《らくご》者が次々と出て、最後は三人という非常に寂しいクラスだった。A君は出席不良で、二回に一回は欠席していたが、学期末の筆記試験には姿を現した。しかし、テスト開始後五分ほどで手を挙げると、「こんな問題で私の成績が判定されることには納得がいきません。テストを受けることに意味が感じられないので帰ります」と宣言し、教室を出て行ってしまった。

私はあぜんと見送るしかなかった。彼が批判した「こんな問題」とは、私が一週間前に授業の中で事前公表したものであり（六問を提示、試験当日に三問任意選択）、もし試験問題に不満があり、自分の成績がそれによって判定されるのが嫌だったのなら、試験場に来なければよいだけの話である。しかし、彼は啖呵《たんか》を切って教室を出て行った。

その後一度も学内外で姿をみかけることがなかったA君だが、あのとき彼は何を伝えたかったのか、いまだにわからない。学生から「あなたの試験問題には価値がない」と言われたに等しいこの経験は、いまでも大学で試験を実施するたびに、私の脳裏にA君の後姿と共によみがえる。

次にB君。大学二年生だった彼は、私の講義科目を受講し、学期末の筆記試験を受け、不合格となった。その彼が「先生、なぜ私は不合格なのでしょうか」と個人的に聞きに来た。B君の答案に零点をつけた理由は明快だった。「〜について論じなさい」という設問のほとんどすべてに対し、文章ではなく漫画を描いて「解答」したからである。信じがたいことだが、現実にこのような学生がいたのである。

「論じなさい」という設問に対して、漫画で解答するのはルール違反でしょう」と、いわば当然の説明をする私に対し、B君はもっと信じがたい反論をした。「だって先生、文章で論じるより、絵で描いて説明したほうがわかりやすいし、先生にも伝わりやすいじゃないですか」。あきれて返す言葉に窮した私に、Ｂ君はさらに続けた。「ほかの先生方の試験でも絵を描いて解答しましたが、合格点をもらっています。」これも信じがたいことである。もしそのような大学教員が本当にいたとすれば世も末である。Ｂ君にあきらめてもらうには一五分かかった。

ちなみに、彼の画力（漫画の上手さ）は正直言って低レベルだった。もし手塚治虫レベルの漫画で「解答」していたのなら、私も人間なので、少しは同情して追試の機会くらいつくってあげたかもしれない。でも、その気が起こらないようなレベルだった。Ｂ君はその後も社会人となって、仕事の書類に下手な絵や漫画を描いては上司にあきれられているのではないかと、ついつい余計な想像をしてしまう。

続いての登場はＣ君。彼は四年生で私の講義科目を登録しながら、教室に姿を現したのは最後から二回目のクラスのときだった。当然、出席不足でアウトなのだが、教室前の廊下で私に言い訳をした。「卒論執筆に忙しく、先生の授業に出ることが出来ませんでした。卒業後のアメリカ留学が決まっており、ぜひ単位だけはください。」

私は「卒論は理由としては認められません。留学が決まっているというけれども、そもそも私の科目は選択科目で、この単位がとれないと卒業できないほど、ほかの科目の単位をとっていないのですか？」と問うた。すると、Ｃ君は無言となり、数秒後、彼の眼から涙がぽろぽろあふれだした。我が目を疑ったが、廊下を歩くほかの学生たちから見たら、あたかもいじわるな教員が気の弱い男子学生をいじめているかのような光景だった。だめなものはだめなので「教務課に行って相談しなさい」と言って私は彼を追い返した。とはいえ、男子学生が人前もはばからずに泣く姿に少しショックを受けた私は、大学の事務を通じてC君の指導教授の連絡先を入手し、個人的に事情を伝えた。それに対する丁重な返信の内容には驚くべきことが書かれていた。

「C君は留年を重ねており、ここ数年、卒論の執筆に忙しかったという理由を用いては、主に非常勤講師の先生方に単位を嘆願し、認められないと面前で涙を流すのが常となっています。心の病も絡んでいるようです。ご迷惑をおかけしてすみません。どうぞ不合格にしてください。」

その後のC君がどうなったかはわからない。もし心の病に本当に苦しんでいたのだとすれば、それから解放され、社会人として普通の生活を送っていることを祈るばかりである。

四人目の「困った」学生はDさんである。彼女は私の講義科目をいつも教室の窓横に座って受講していた。あるとき、よほど疲れていたのか、ぐっすり眠って起きる様子がないので、少し驚かす目的もあって、眠り続ける彼女の真横の窓を開けてみた。真冬の講義だったので、暖房で暑くなりすぎた教室の空気を入れ替える目的もあり、だれも私の行為を不審に思う者はいなかった（はずである）。

さて、窓を開けて冷たい空気が吹き込んでくるや否や、彼女はぱっと目を覚ますと、怒りの表情で立ち上がり、私が開けた窓を激しくバーンとしめ、そのまま座ってまた寝始めたのである。その度胸というか非常識なふるまいに私は（恐らくほかの受講生も）驚いてしまい、どうしてよいかわからず、結局、何も見なかったことにして、そのまま講義を続けた。講義後、個人的につかまえて注意しようとしたが、あっという間に姿を消してしまい、以後、二度と教室に姿を現すことはなかった。気の弱い教員としては、自分の講義に対するある種の抵抗の意思表示だったのかもしれないと、時々思い込んでしまう。

最後の登場人物はEさん。彼女は非常勤講師先の学生ではないが、ある市民運動で知り合った快活で社交的な女性である。当時四年生で就職活動に忙しく、卒論執筆が全く進んでいなかった。その彼女が一二月に入ってすぐの時期、私の本務校の研究室にやってきて懇願した。「先生、すみません、卒論提出まであと二週間しかないのですが、テーマも決まらず、何も書けていません。助けてください。」

Eさんが通う大学の指導教授は、私も尊敬する著名な研究者だったが、学生の卒論指導は自由放任だった。いまさら相談に行くわけにもいかず、困ったEさんは同じ市民運動で交流のあった（やさしそうに見える?）私のもとへ駈け込んできたわけである。あと二週間という信じがたい時間制限の中で、二万字以上の卒論をなんとか書かせるべく、私は彼女が関心を持っていそうなテーマを三つほど即席で候補にあげ、その場で選ばせ、それに見合った日本語の関連文献を一〇冊ほど貸し、問題設定と構成と結論まで提案した。交通事故で運び込まれた重傷患者に対する臨床措置のような対応だったが、致し方ないことだった。

さて、Eさんはたいへん優秀で、私がプロデュースした線で卒論を書き上げ、指導教授に提出して無事卒業し、一流企業に就職した。一件落着である。しかし、彼女はその後二十数年間、「プロデューサー」だった私に自分の卒論を見せてくれたことがない。実はEさんとはその後も数年に一度くらい会う機会があり、そのたびに「もう見せてくれてもいいんじゃない」とこの話題をふるのだが、「いやです。絶対見せません。もう手元にありません」と、はにかんだ笑顔で語る。彼女こそ、忘れじの「困った」学生ナンバーワンである。

（二〇一七年三月執筆）

ビルマ犬カロの生涯

市場《ゼイ》で拾った犬

戌年《いぬどし》を迎え、四三年前に死んだビルマ犬カロのことを思い出す。一九六三年にビルマ（ミャンマー）の高原地帯にある小さな町の市場で拾ったメス犬である。ビルマならどこにでもいるようなワンコで、町の名前がカロオだったので、犬もカロと呼ぶことになった。

当時、私は六歳になるかならないかで、両親の仕事の関係でビルマの首都ラングーンに住んでいた。家族で国内旅行をした際、カロオの町に寄って一泊し、その涼しく風光明媚《めいび》な環境と、瀟《しょう》洒《しゃ》なつくりのホテルの前を蒸気機関車が煙をもくもく出して走る姿を見て、子どもながらとても良い印象を抱いた。

市場で犬を拾ったいきさつは次のとおりである。カロオの町では五日に一回、市が開かれ（いわゆる五日市）、ちょうど訪問したときがその日にあたっていた。ビルマ語で市場をゼイと呼ぶが、そこへ両親と四つ年上の兄と一緒にホテルから歩いて行った。にぎわいを見せていたゼイでは大小の野良犬がうろうろ歩いていた。その姿はしかし、かわいく、怖いという思い出はまったくない。

その中で、兄が特に気に入った生後半年くらいの子犬がいた。ちょうどラングーンの自宅で飼っていたブラッキーという子犬が、虚弱体質で死んでしまったあとだったこともあり、兄はこの子犬をたいそう気に入り、母に「飼いたい」と強くせがんだ。犬好きの母も子犬を気に入り、父も同意したので、ゼイの人たちに野良犬であることを確認したうえで、少しばかりのお金をこの子犬がうろついていた屋台のおばさんに握らせ、ホテルに連れ帰った。

まずはシャワーで徹底的に子犬を洗った。ものすごい数のノミが流れ落ちた。そのあとラングーンに連れ帰り、あらためて蚤《のみ》取粉をかけて清潔な体にしたうえで、我が家の家族となった。名前は自然にカロと決まった。茶色と黒が混ざった体は、毛のつやもよく、両耳がプロペラのような形状をしていたところがこの犬のチャームポイントだった。

日本へ

ラングーンですっかり大きくなったカロだったが、両親の次の勤務先であるオーストラリアのメルボルンには連れていけないため（同国は海外からの動物連れ込み規制が非常に厳しい）、母方の祖母が住む東京・西荻窪の実家に単独で送られることになった。飛行機の旅はカロにとってけっして楽しいものではなかったろう。さらに羽田空港では検疫のため二週間も指定の建物内に留め置かれてしまい、その間、祖母が毎日「見舞い」に行ったとはいえ、そこではもっとつらい思いをしたはずである。

祖母がやさしく面倒を見たこともあり、カロは順調に日本の環境に慣れ、私たちがメルボルンから帰った一九六六年七月には、すっかり西荻窪の家の一員となっていた。私もカロのことがますます好きになった。私たちの家族が帰宅すると、誰であれ、大喜びで歓迎してくれ、特に母や父が帰宅すると、うれしすぎておしっこを漏らしてしまうほどだった。お気に入りのボロ毛布があり、それを振り回してはしょっちゅうダンスをしたので、我が家では自然とカロチン・ダンスと呼ぶようになった。

ある日、私が小学校に向かう朝のこと、母が「カロがきのうのご飯を食べ残しているから、台所に持ってきてちょうだい」というので、食べ残したエサ皿をひょいと持ち上げようとした。その瞬間だった。カロは別人（?）のように顔色をかえ、牙をむき出しにして九歳の私に激しく噛《か》みついた。

私は想定外の出来事に驚き、手のひらと太ももから流れ出る血を呆然《ぼうぜん》とみつめた。とても痛かった。でも泣かなかった。母のほうがパニックになり、カロを手でたたいて厳しく叱ると、あわてて私の治療をしてくれた。バンドエイドや包帯で対応し、学校には遅刻した。帰宅後、あらためて内科医に行き、しっかり治療してもらった。カロは狂犬病の予防注射をしてあったので、その心配はなかった。

何年かあとになって気づいたことだが、このとき、カロの犬歯は私の左手の親指の根元と、手のひらの中央部の知能線と運命線がちょうど交差する箇所を噛んでいた。私のその後の運命や知性に何らかの変化が生じたとすれば、それはカロのせいである。太ももの二つの噛み跡も、その後、三〇年以上残った。

母は晩年、よく言っていた。「カロはいい犬だったけど、生まれた環境が悪かったのよ。子犬だったとはいえ、市場で競争相手の犬がたくさんいて、自分の食べ物は絶対確保しないといけないという防衛心が小さいときについてしまい、それが大きくなっても消えず、ときたま理性を失って飼い主にも噛みついたのよね。〈お里が知れる〉という言い方は、カロのためにあるようなものだわ」と。

卒業式の日の事件

カロは脱走好きの犬でもあった。一日三回も散歩してあげていたのに、スキを見ては玄関から家を飛び出し、外を勝手に回って、数時間すると疲れて玄関前に戻ってきた。住宅地とはいえ、当時は犬取りがいたし(保健所による野良犬の捕獲)、何よりも交通事故の心配があった。脱走すると母はすべての仕事を中断して、必死に外を探しまわった。

一九七三年三月、私が杉並区立荻窪中学校を卒業するとき、よりによって卒業式の日の朝、カロは脱走した。私は既に学校に行っていた。家では大騒動になった。というのも、母は私の卒業式への出席をあきらめ、カロを探しに家を出ようとしたからである。兄が必死になって止めても、母は聞く耳を持たなかった。そのとき、週に三回ほど我が家に来てくれていたお手伝いさんのHさんが、「敬さんの大切な卒業式です。カロちゃんは私たちが責任持って探しますから、学校に行ってあげてください」と強く言ってくれ、母は不承不承、私の卒業式にやってきた（それも遅刻して）。私はそのことに全く気付かなかったが、式後にほかの友人たちの母親はいるのに、自分の母がいないことに不自然さを覚えた。帰宅してすべてがわかり、唖然《あぜん》としたと同時に、母らしいなあと納得した。

母曰く、「あなたの卒業式に行くには行ったけど、まったく集中できなかったわ。校長や来賓がみなカロに見えて、一刻も早く探しに行かなければという気持ちばかりが強く、式後すぐに家に戻ったの」。兄やHさんの捜索もむなしく、カロはみつからなかったが、母が卒業式後に早足で帰宅するころには、ちゃっかり玄関前に帰ってきていたという。なんとも罪作りな犬である。

最期のとき

そんなカロも、徐々に老化がすすみ、一二歳を迎えた一九七五年になると、おなかのあたりにデキモノがあらわれ、それを執拗《しつよう》に舐《な》め続けたため、血がにじむようになった。そればかりでなく内臓に悪性の菌が入ってしまい、急速に動けなくなっていった。表情も覇気がなくなり、時に苦しそうな様子を見せた。

私は男子全寮制高校（のちに廃校となった都立秋川高校）の三年生だった。月に二回だけ土日の外泊が許されていた。初夏の土曜日の夕方遅く、帰宅したら、母が涙を流していた。カロの容態があまりに辛そうだったので、獣医と話し合って安楽死の注射を打ったと語ってくれた。眠るような顔をしたカロを確認した。とても悲しかった。

母はその日の昼前、安楽死という辛い決心を電話で秋川高校の寮の舎監に伝え、息子に立ち会ってほしいから早めに帰ってくるよう伝言してほしいと連絡していた。しかし、舎監はすっかりその伝言を忘れ、何も知らない私は昼過ぎに寮を出て新宿で映画を見てから帰宅したので、注射直前の「お別れ式」には立ち会えなかった。私は内心、かえってこうなったことを喜んだ。私にとってカロは子どものときからの家族であり、そのかわいい犬が目の前で安楽死の注射を打たれるのを見たいとは思わなかったからである。

翌日の日曜日、夕方遅く寮へ戻ると、舎監がこの件について丁寧に謝ってくれた。私は「大丈夫です。結果的にこうなってよかったと思っています」と答えた。舎監に私の真意が通じたどうかはわからない。ただ、それから約四〇年後に開かれた同窓会で、年老いたこの舎監と再会した際、意外にも向こうがこの「事件」のことを覚えていてくださった。何か救われたような気がした。カロが天国でそのように取り計らってくれたのだろうか。

（二〇一八年三月執筆）

忘れじの「困った」先生たち

かつて「忘れじの「困った」学生たち」と題するエッセイを書いたことがある。今度は逆に「困った」先生たちについて書いてみることにしたい。「困った」先生といっても、どこかユニークで愛らしいところもある先生のことである。私が高校生と大学生として過ごした一九七三年から一九八〇年までに限定して、三人の先生を選び紹介することにする。

最初は大学三年時の一九七八年に「政治理論」という科目を講義されたA先生である。最初の講義の日、数十人の受講生が待つ教室へ入室したA先生は、学生の顔をいっさい見ることなく教壇に座ると、ノートを開き、文章を読み始めた。ふつう、最初の講義では自己紹介や科目の特徴について話すのが大学教員の常である。しかし、A先生はノートをいきなり読み始めたので、私は講義の冒頭で重要なメッセージを伝えるために、誰か有名な思想家の文章を読んでいるのだろうと思って聞いていた。しかし、そうではなかった。そのままずっとノートの読み上げが続いたのである。

教室に響くA先生の声は口語体ではなく、「なになには、なになにするところの、なになにである」式の文語調だった。板書もせず、プリント配付もない。学生にとってお手上げに近い講義で、必死にノートを取ったが、間に合わないこともあった。専門用語の漢字がわからなかったり、人名の発音が覚えられず書けなかったりして苦労した。

ある時、受講生の男子学生が突然手をあげた。A先生はノートに夢中で彼の挙手に気がつかない。そこで彼はおもむろに大声で叫んだ。

「先生、もっとゆっくり読んでください！」

教室中が爆笑した。「話してください」ではなく「読んでください」という皮肉を込めた言い方だったからである。さすがにA先生にもこの皮肉は通じたらしく、その後はノートを読み上げるスピードを落とした。さらに、講義中に何回かノートから顔をあげて、学生に向かって普通の口語体でしゃべるようになった。ときどき板書もするようになった。

とはいえ、A先生にはほかにも問題があった。講義内容が古かったのである。「最新の研究に基づけば…」といいながら紹介した論文が、なんと一二年も前に書かれたものだった。それが「最新の研究」だなんて、政治理論という学問はそんなに進歩が遅いのかと突っ込みを入れたくなった。この先生は研究をさぼっているのではないかという疑念が私の中で強まった。

実際、調べてみると、A先生は学問的業績がほとんどない先生だった。一九七四年から七八年までの五年間の業績が、高校「政治・経済」の教師用指導書の分担執筆と、在京フィリピン大使館での夕食会スピーチ、そして某全国紙に小さく載った憲法に関する短いエッセイの計三点だけというありさまだった。論文も本も一つもない。講義の最終回で「これといった業績もないまま、今日まで大学で研究に従事してきた身ではありますが…」と発言していたので、自覚は有していたようだが。

しかし、このA先生、学生にはとても人気があった。キリスト教系大学だったにもかかわらず、「仏《ほとけ》のA先生」(実際はファーストネームで「仏の××ちゃん」)と呼ばれていた。理由は明確である。一つは成績が非常に甘く、すぐにAやBをくれたからである。もう一つは人柄がとても誠実だったからである。講義は古臭くても、人格者で、まじめな女子学生から信頼があり、また、成績の悪い学生のどうしようもないレベルの卒論の指導を嫌な顔一つせずに引き受け、単位取得に導くという「お助けマン」的な一面もあった。定年退職後は神学校へ通って牧師になられたが、そのことを聞いたとき、この先生らしい選択だと思った。と同時に、教会の礼拝でノート読み上げ型の説教をして信徒たちを困らせていないかと、少し心配にもなった。

次に紹介するのは高校時代の英語教員B先生。一九七三年から七六年まで都立の男子全寮制高校（二〇〇一年三月閉校）在学時に習った先生である。B先生は国立大学を卒業して高校教師になり、当時は七、八年目くらいだったと思う。この先生、毎回、赤ら顔で酒の臭いをぷんぷんさせながら教室に来て、独特の授業をした。間違いなくアルコール依存症の先生で、今だったら即刻休職か免職である。しかし、一九七〇年代はこのような先生でも都立高校では存在が許されていた。実にのどかな時代だった。

B先生の授業が独特だったというのは、英語の文章を読み上げる際、文末に必ず「っち」という音をつけていたからである。例えば、He visited Mr. Taylor's house. という文章があったとすると、「ヒー　ヴィズィテッド　ミスター・テイラーズ　ハウスッチ」と発音したのである。生徒がそれをまねて「っち」をつけて読むと、本人は「へんな音を文末につけるな」と怒った。すなわち、自分の発音の癖に全く自覚がなかった。本当に「困った」先生である。

しかし、B先生は哲学に造詣《ぞうけい》の深い先生でもあった。アルコールの臭いをまき散らしながらも、デカルトの「われ思う、故にわれ在り」という一文の意味を、授業の中で延々と解説してくれたことがある。自分自身が存在することの根源的証明が「（私は）考える」ことにあるのだということを、この先生から習った。のちに大学でデカルトの本を少しだけ読んだのは、B先生の影響だったかもしれない。

最後に紹介する「困った」先生は、同じく男子全寮制高校時代の保健棟にいらしたC先生（女性）である。この先生は生徒全員のみならず、校長以下、教員全員からも恐れられていた。全寮制高校だっただけに保健棟は充実しており、女性の養護教員が看護婦（現在の看護師）を含め計四名も配置されていた。そのなかのリーダー格の先生がC先生で、生徒に対し常に男言葉を使っていた。ほかの養護教諭や看護婦がやさしかっただけに、C先生の怖さは突出していた。私が初めて保健棟に行ったとき、C先生からいきなり「何しに来た」といわれ、びっくりした。もちろん体調が悪いから来たのだが、まずは厳しく接し、「さぼり」系の生徒かどうかを確認するのが常だった。もし仮病で来たということが判明すれば、その場から即追放された。

この高校では夜の七時半から一〇時半までの三時間が学習時間とされ、寮室から出ることが禁じられていた。しかし、友人が風邪などで保健棟に隔離されていると、こっそり寮室を抜け出して「訪問」する生徒がいた。保健棟で病人の友人と短い会話を楽しむのである。夜間当番の養護教員は、それを見て見ぬふりしてくれることが多かった。しかし、C先生が当番の夜は別である。絶対に訪問は許されず、みつかると「帰れ！」と怒鳴られ、名前を記録され該当する学年の担当舎監に連絡された。

ある日の夜、輪番リストを確認してC先生が夜間当番ではないことを知った生徒数名が保健棟の友人「訪問」をした。ところが、フェイントでC先生が保健棟に陣取っていた。何が起きたかは書くまでもあるまい。生徒たちは大慌てで寮に逃げ戻り、「誰だ、Cが保健棟にいないって言ったのは！　いたじゃねえかよ。」と叫んでいたことが忘れられない。

C先生はまた、性教育においても物おじせず生々しい表現を平気で使う先生だったので、我々男子生徒は顔を赤くすることが多かった。しかし、そこには真剣さが垣間見えたことも事実である。C先生は生徒の体調の悪さが確認できると、あとはてきぱきと対応し、アドヴァイスも適切で、必要に応じて高校付近の病院へ行く手配をしてくれた。

私が卒業してから数年後、C先生が定年を前に退職したニュースを耳にした。その理由を聞いて驚いた。同行した高校の修学旅行先で小規模な食中毒が発生し、その責任をとって辞職したのだという。まわりは止めたが頑《かたく》なに拒否したらしい。そのことを聞いて、一途でまじめな養護教諭だったことを強く認識させられた。C先生こそ、忘れじの「困った」先生の第一位である。もちろん尊敬を込めての表現、先生、どうもお世話になりました！

（二〇一九年二月執筆）

階段を使おう！「日本階段連」へのお誘い

日本階段愛好連合会（日本階段連）会長――これが昨年から新たに加わった私の肩書である。とはいっても会員は私一人だけで、会長は自称に過ぎない。日々階段を使って健康維持に努めている同類の方々は日本に少なくないと思う。その方々への応援もかねて、このたび結成して二年がたつ日本階段連の特徴について紹介することにしたい。

アイフォンで知った階段を上る「喜び」

二〇一三年八月、私は大学生や同僚教員たちの流行に後れること数年、アイフォン（スマートフォン）を使うようになった。同機には初めからいろいろなアプリが設定されているが、その中に「ヘルスケア」というものがある。身に着けているだけで毎日のウォーキング歩数と距離、そして上った階段の階数を記録してくれる。これを週平均、月平均、年平均で統計としてグラフに示してくれるので、たとえば二〇一九年であれば、私の一日あたりの平均歩数は一万二〇七〇歩、平均距離は七・四キロ、階段を上った階数の平均は三四階ということがわかる（一六段で一階の計算）。とても便利でお役立ちの機能である。

ただ、文明の利器を十分に使いこなせていない私がアイフォンにこの機能がついていることに気づくのには二年かかった。妻が教えてくれて初めて気づいたのである。

数字が明示されると、俄然やる気が起きる。もともと歩くのは好きだったし、階段も人より使用するほうだった。よって、それぞれの一日平均の数字は毎年確実に上昇していった。歩数は二〇一六年の六六三四歩が翌一七年には一万九七〇歩に大幅に増え、一八年には一万一七七四歩、一九年には一万二〇七〇歩と着実に増えていった。歩いた距離も同四・六キロから始まり、六・四キロ、七キロ、そして七・四キロへと至った。

上った階段の階数の増え方はもっと劇的である。二〇一六年には一日一五階に過ぎなかったものが、翌一七年には二六階に急増し、一八年には三二階、そして一九年には三四階にまで増えた。これを階段の段数に置き換えると、一日平均五四四段上っていることを意味する。

一日一万二〇〇〇歩以上歩く人は結構いるようである。従って歩く距離が一日平均七・四キロという数字も、別段強調することでもなかろう。しかし、私の知る限り、階段を一日平均三四階上っている人は少ない。そこで私は上述の日本階段連を結成することを決意し、自ら会長に就任したのである。

階段を上る生活――そのコツ

一日平均三四階上るといっても、連続して一気に上ったら六二歳の私は心臓麻痺《まひ》を起こしかねないので、そんなことは絶対にしない。仮にやったとしても、そのあとは仕事にならないほど疲れが出るだろう。そのような運動部的な上り方は間違ってもやらない。一日の活動範囲の中で、階段をみつけたらそこを少しずつ上るというやり方を原則とし、かつ連続して八階以上のぼることはしないように注意する。夏は大汗をかくので最大でも連続六階でとどめる。

私の平均的な一日の階段の上り方を紹介しよう。まず、通勤時にエスカレーターは絶対使わない。職場まで一時間、その間に三回電車を乗り換えるが、その時を活用して駅の中の階段をせっせと上り、合計で九階分をかせぐ。通勤先の最寄駅に着いたら、時間に余裕があるときは周囲を二キロほど歩き、公共ビルに出入りしてそこの階段を五階程度上る。職場（大学）に着いたら六階の研究室までエレベーターを使わず階段を上る。講義やゼミの行き来でも階段を使う。平均すると学内移動だけで一日一二階程度かせげる。帰宅時は研究室のある六階からわざわざ一〇階まで階段を四階分上り、そこからエレベーターに乗って一階へ降り、駅へ向かう。帰りも電車を三回乗り換えるので、その機会を活用して駅の階段を計五階分上る。これで一日四〇階を達成できる。

とはいえ、重い荷物があるときはけっして頑張らない。そういうときはエレベーターやエスカレーターを使う。また通勤しない日は、自宅マンションの階段を六階くらいまで上ることを四回程度おこなう。このような日は一日二〇階程度しか達成できないが、それでも年間で平均すれば一日三四階を維持できる。

こうしたことを数年続けると、なんといっても体重が健康的に減っていく。食事内容に気をつけたことにもよるだろうが、ＢＭＩは二〇・六まで下がり、健康診断のたびに著しく超過した数字に悩まされた中性脂肪値も今年に入って激減し、平常の範囲にゆうゆう収まるようになった。血糖値と悪玉コレステロールとの長期の戦いはまだ明るさが見えてこないのだが、一方でふくらはぎと太ももの筋肉がつき、風邪などもひくことなく、体調の良い日が続くようになった。

日本階段連のルール

さて、ここで日本階段愛好連合会の「ルール」を紹介しよう。基本原則は次の四つである。

（1）上った階数をめぐって他人とけっして競争してはならない。本連合会は運動部ではない。

（2）無理な連続上りや、極端な階数目標をたてることは禁止する。健康を害してまで階段を上ることは本末転倒である。各人は自分の年齢を考え、七〇歳以上の人は穏健な目標を立てるように特段の留意が望まれる。

（3）本連合会は誰でも会員になれるし、誰でも会長や支部長を自称してかまわない。
（4）本連合会には定められた規約はなく、それをつくってはならない。会費もとってはならない。賞金等を出してもいけない。表彰も「自分で自分を表彰する」以外は厳禁する。

換言すれば、マイペースで無理することなく階段上りを楽しみ、それによって健康を維持するということである。おもしろいもので、一度階段上りが自分の生活習慣として定着すると、エレベーターやエスカレーターに何らの魅力も感じなくなる。無論、重い荷物を持っているときや、体調の悪い日は使用するが、そうでない日常においては、「なんで健康な若者や大人が、わざわざ長い列を作ってまでエスカレーターに乗るのだろう」と心の中でつぶやくようになる。その横の階段を上りながら、かすかな優越感に浸ることができる。段数を頭の中で数えながら上るのもよい。一六段を超えるごとに「一階分達成！」と胸中で叫びながら、五〇段くらい（約三階分）連続してのぼると、さわやかな達成感を覚えるものである。

ただ、重ねて言うが、無理は禁物である。八年前に八六歳で死んだ私の母（一九一四年生まれ）は、体調を大きく崩した最後の一年間を別として、ゆっくりしたペースではあったが、必ず駅では階段を上っていた。しかし、降りるときはエスカレーターやエレベーターを使用し、階段使用を避けた。高齢者にとって、階段を上っているときに万が一転んでも、前に倒れるので、大けがは防ぎやすいが、下りているときに転んでしまうと、後頭部や腰を打って取り返しのつかない重傷を負うことになりやすい。よって、高齢の方々には「階段は上るものであって、下りるものではない」という原則を守ってほしいと切に願う。

まわりの反応

以上のような話を学生にすることもあるが、反応は概して冷たい。特に運動部の連中は、学内でエレベーターを使っている者が多いので、私が階段上りをすすめると「練習で疲れているのでいやです」とはっきり言う。一方、同僚たちはそこそこ関心を持ってくれることが多い。ある同僚の教員は、ときどき私と一緒に研究室のある六階まで階段上りを付き合ってくれる。また、決まった数人の教員と階段上りの途上で一緒になることがある。相互に「仲間」だと認識するからであろうか、笑顔で会釈したり、時に声をかけたりする。そのときも心がかすかに弾むものである。

いかがですか。皆さんも日本階段連に入って、共にそれぞれのペースで階段上りを普段の生活に取り入れてみませんか？

（二〇二〇年二月執筆）

酔いどれ寮長とその仲間たち――ビルマ留学時の大学教員寮

まだ二〇代後半だった一九八五年一〇月から八七年一〇月まで、私は当時の文部省から奨学金をもらい、ビルマへ留学していた。二年間の生活の拠点は、ラングーン市北部の湖畔にある大学教員寮で、正確には「大学男子教員寮」といった。二〇平米弱の質素な部屋が三〇室ほどあり、二階の二〇号室が私の居室だった。「一部屋二人居住」が原則だったが、外国人ということで私は単独での使用が許された。寮ではトイレも水浴び場も共用、停電や断水はしょっちゅう、食事は一日二回、賄いの一家が食堂であまりおいしいとは言えないビルマ食を提供してくれた。

外国人への警戒心

教員寮には平均して四〇人近い先生たちが常に住み込み、その大半は若手と中堅クラスの大学教員だった。ビルマの大学教員は全国各地の大学（すべて国立）を数年周期で異動させられるので、たまたまラングーンにある大学に勤務しているときにこの寮に住むというのが一般的だった。

当時のビルマはすでに軍が強い実権を有し、鎖国的な特徴を持つ独自の「ビルマ式社会主義」体制をとっていた。外国人に対する警戒心も非常に強かった。その影響は教育にも及び、私が通うことを許された唯一の教育機関である外国語学院でも、留学生にビルマ語を教える数名を除いて、教員や学生は日本語学科も含め、外国人留学生から距離を置くよう「お上」から指導されていた。

そうはいっても、ビルマ人は概してフレンドリーな人たちが多く、私と友情を深めてくれる何人かの「例外」が常にいた。ところが、教員寮のほうにはそのような「例外」がほぼゼロで、私に対してよそよそしい対応をとる先生が少なくなかった。

忘れられない三人の先生

それでも二年間の大学教員寮の思い出は尽きない。その中でも忘れられない三人の先生がいる。親しかったわけではけっしてないが、彼らを端から見ていて、この国の大学教育の問題点や教員の待遇の悪さを実感させられたものである。

まずは寮長だった法学部のA先生。四〇代後半くらいだったこの先生には、入寮の手続きの際にお世話になった。この寮長はしかし、大変な酒飲みで、国産のラム酒をよく仲間の先生たちと部屋で飲んでいた。ある日、数か月間だけ同じ寮にいた日本人留学生のTさんから「昨晩、とんでもない光景を見てしまった」といわれ、何があったのかを聞いて愕然とした。寮長が娼婦を部屋に連れ込んでいたのだという。それも、深夜にTさんが起きて寮の二階の共用トイレに行こうとした際、その横の清潔とはいえない水浴び室（原始的シャワールーム）に、なんと全裸の女性が出入りしているのを見たというから驚きである。その後、数日して私も興味本位に深夜に起き「確認」してみたが、全裸ではなかったものの、確かに女人禁制の寮なのにA先生の部屋から「怪しげな」女性が出入りしているのを見た。寮長たるもの、寮の規則を居住教員に徹底させるお目付け役であるはずだが、酔っぱらったうえで率先して規則を破っていたのである。それまでにも何人かのビルマ人の知り合いから「君の住んでいる所はね、規則のない寮で有名なんだよ」と言われていたが、そのことの理由がわかった気がした。

二人目は化学を教えていたB先生。おそらくこの先生も四〇代後半だったのではないかと思う。顔色はいつも悪く、廊下でいきなり怒鳴ったりする「問題児」だった。先述の寮長以上に酒飲みで、周りから「また酔っ払って何か叫んでいるよ」と陰口をたたかれていた。食事をつくってくれる賄いのおばさんも、「あの先生は酔っ払いだから近づかないほうがいい」と私に耳打ちしてくれたことがある。それでも一、二回、食堂で短い会話を交わした際は、アルコールの匂いをぷんぷんさせてはいたが上機嫌だった。

そのB先生が、ある日を境に寮から姿を消した。寮長に事情を聞いてみたが、あいまいな返事かかえってくるだけで要領を得なかった。そのとき、賄いのおばさんが私を食堂の奥の調理場に呼び、真相を教えてくれた。これまた愕然とする内容だった。B先生は一〇〇人近い学生を相手にする講義、それも女子学生が七割を占める教室で、酔っぱらった状態で授業を行い、途中でロンジーを下に落としてしまったのだという。

ロンジーとはビルマ人の男女の多くが日常的に身に着けている巻きスカートのようなものである。留学生の私も日常はロンジー姿で過ごしていた。ウェスト部分で上手に巻いて結ぶだけなので、慣れないと下に落としてしまい、たいへん恥ずかしいことになる。ビルマ人は少年少女のころから着慣れているので、そのようなヘマは死んでもやらかさないが、このB先生は多くの女子学生を含む大教室の講義の最中にそれをやってしまったのである。これはビルマ文化では許されざる大醜態である。さらに、B先生は下着を穿いていなかった(!)ので、下半身全裸状態を見せてしまった。学生たちは当然大騒ぎし、大学側はすぐに解雇処分を決めた。その後、地方に住む家族がひっそり寮の部屋の荷物を取りに来たという。

三人目は一転してさわやかタイプの哲学科の若手教員C先生である。容姿はどことなくヘンリー・サナダの名前でビルマでも人気があった俳優の真田広之に似ていた。C先生はたまに親しげに廊下で声をかけてくれたが、たいした会話はしなかった。ただ、一度だけ大変に役立つ教示を受けたことがある。読んでいたビルマ語の本のなかに、マルクス主義の歴史と関係する外国人

（西欧人）の名前が出てきたのだが、私には誰のことだかわからなかった。日本語のカタカナ語に外国人が苦しむのと同様の経験をしたわけである。その人名のビルマ語発音は「ピューワーベッ」という。マルクスのことをビルマ語で「マッ」と発音することは知っていたが、その「マッ」が痛烈に学説を批判したドイツ人の学者だというところまでしか読み取れなかった。そこで私は哲学科のC先生に該当するページを見せ、教えを乞うたところ、すぐに「ああ、これは英語でフューワーバック、ドイツ語でフォイエルバッハのことだよ」と教えてくれた。なるほどマルクスのフォイエルバッハ批判はマルクス主義研究では知られているが、英語発音で「フューワーバック」、ビルマ語では「ピューワーベッ」となるのかと、そのときはじめて理解したのである。

C先生は、その後、ビルマ東北部シャン州の高原地帯にある田舎の小規模大学に異動となった。挨拶もできないまま別れたことがいまでも悔やまれる。

多すぎる授業負担と貧しい研究環境

当時のビルマの大学教員は、平均して週に一八コマもの授業を持たされ（日本の高校教員並み）、講義内容も厳しく統制され、教える内容を自分自身で決めることが許されていなかった。大学内の研究室は学科長クラスを除けば大部屋しか与えられず、研究費もゼロなので本を購入することもできず、図書館を利用するのがせいぜいだった。たとえ研究しても発表する場がなく、教育だけに専念するよう促されていた。給与も低く、私が住んだ大学教員寮の場合、食事付きの寮費を払うと給与の三分の二が消えてしまうような教員が多かった。

こうしたストレスフルな状況が、酔いどれのA先生やB先生のような不謹慎な教員を生み出したのかもしれない。優秀そうなC先生が田舎の小規模大学へ異動させられたことも、「学問の自由」を封じ込めていた当時の政府の管理主義的姿勢を象徴している。日本の大学教員も様々な問題と直面してきたとはいえ、ここまで厳しい環境に置かれたことはない。そう考えると、当時の大学教員寮の先生たちにあらためて同情の気持ちが芽生える。

（二〇二一年二月執筆）

鐘が鳴る前から教室にいます——大学教員いまむかし

定年退職まであと一年少しとなった。これまでに二つの大学で合わせて三二年間、専任教員として勤めてきた。時期でいうと日本が「バブル経済」の絶頂期だった一九八九年一〇月から、長期にわたる低成長に直面しつづける現在までである。振り返ってみると、この間の大学教員の変化には大きいものがある。

講義開始前から教室に

まず一番の違いは、いまの大学教員は自分が担当する講義や演習の教室に鐘が鳴る前から入っていることである。私が大学生だった一九七六年から八〇年ころは、開始の鐘が鳴りおわった段階で先生が教室にいるということはまずなかった。それどころか、五分から一〇分、ひどいときは一五分以上遅れて教室に現れるのが常だった。学生側も教員が時間どおりに来ないのをいいことに、あたりまえのように五分くらい遅刻して教室に来る者が少なくなかった。

私が大学の教壇にはじめて立ったのは、非常勤講師としてデビューした一九八九年四月のことである。このころはまだ、先生たちは鐘が鳴ってからゆっくり講師控室を出て教室へ向かっていた。鐘が鳴りおわっているにもかかわらず、お茶を飲み続ける先生もいた。必然的に教室に到着するのは五分から一〇分遅れになる。それが標準的習慣だった。その後、同年一〇月から専任教員のポストを得たが、鐘が鳴ってから研究室や講師控室を出るという教員の習慣に長らく変化は見られなかった。

忘れられない思い出は、ある大学のある科目にゲスト・スピーカーとして招かれたときのことである。一回九〇分を二コマ連続して開講している政治学系の科目だった。前半で私が講演をおこない、後半で質疑応答とディスカッションをするという時間配分だった。途中の休憩は一五分設定されていたが、講演を終えてホストの教授の研究室に移動すると、そこでは雑談に花が咲き、気が付いたら三〇分以上が過ぎていた。教授はまったく驚きもせず「さて、そろそろいきましょうかね」と言って、ゆっくり教室へ戻った。一五分の休憩が移動時間を含め三五分ほどになったわけだが、教室では学生たちがそうしたことが当たり前であるかのような表情で待っていた。

いまではこうしたことはあり得ない。いったいいつごろから日本の大学教員は時間に「正確」になったのだろうか。断言はできないが、二〇一〇年前後のことではないかと思われる。というのは二〇〇七年四月に現在の勤務校に異動したとき、私は前任校でしていたように鐘が鳴ってから研究室を出て教室に向かい、ほぼ三分から五分遅れで講義を始めたのだが、ほかの同僚たちも同じだったので、多くの教員はまだこの段階では私と同じ「時間感覚」を共有していたように思う。

ところが、一、二年もすると、鐘が鳴ってから研究室を出て移動をする際に、すでに別の教室で講義を開始している教員の姿を見かけるようになった。「なんと勤勉な先生！」と心の中で思ったが、事態はさらに進行し、数年もしないうちに、鐘が鳴る前から教室に入って講義の準備をする教員が多数派となった。私もその影響を受け、鐘が鳴り始める直前に教室に着くように態度を改めた。この時期、急速にパワーポイントを講義で使用する教員が増え、その準備の時間が必要なため、早めに教室に到着する先生が一般的になった。私は講義ではパワーポイントを使わないプリント配付主義者だが、教室に入る時間だけは周りに合わせて鐘が鳴る前の到着を目指すようになった。

二〇二〇年三月からのコロナ禍以降は、オンラインやオンデマンドだけで授業をおこなう時期を迎えた。翌二〇二一年度後半からやっと対面講義が復活したが、それでもやむを得ない事情で登校できない学生のために対面授業におけるオンライン併用が義務付けられた。そうなると教室にもっと早めに着いて、複雑なセッティングをする必要が生じる。かくて私も鐘が鳴る五分前までにはパソコンを持って学生たちの前に姿を現すことになった。このような自分の変化に驚いているが、これが今の大学教員の平均的な姿なのである。

講義の進め方はスティーブ・ジョブズ風？

講義の進め方もむかしと比べて劇的にかわった。自ら芸術的・技巧的ともいえるパワーポイントのスライドを準備し、それを教室で映しながら、アップル創業者の故スティーブ・ジョブズ風にかっこよく講義する若手や中堅の教員が増えた。むかし大学で見かけたノート読み上げ型の「あーうー」教員や、プリントも何も配付せず、シラバスもあいまいなまま、第一回目から「なんとなく」講義をはじめ、時間がきたら「なんとなく」終え、起承転結のない授業をだらだらやって学期末を迎えるという類の教員は、絶滅危惧種と化した。

これには間違いなく学生による授業評価の普及がもたらした影響がかかわっている。いまではどの大学も学生による授業評価を導入している。その質問項目には必ず「教員は時間通り授業をおこないましたか」「わかりやすく授業をすすめましたか」「質問には的確に答えましたか」等の、学生目線に立ったものが多く含まれ、それぞれ五段階で評価される。これらに加えて自由記述もあり、私の場合「プリントではなくパワーポイントや動画を使ってほしい」とか「ディスカッションの時間をつくってほしい」などの注文がつく。授業評価の結果が全学生と全教員に公表される制度を持つ大学も増え、中にはボーナス査定に影響させる大学も登場しているようである。

この結果、大学教員のデフォルト（基本設定）は大きく変化した。すなわち、鐘が鳴る前に教室に到着して各種セッティングを済ませ、鐘が鳴ると同時に講義を始め、それも年度当初に学生に公開されるシラバスに沿って各回テーマの明確な講義をスティーブ・ジョブズ風のパフォーマンスを目指しておこない、学生から出されるいかなるレベルの質問に対しても懇切丁寧に答えることが標準となったのである。

ハラスメントは許されない

当然、ハラスメントも許されるはずがない。「セクシャルハラスメント」は論外、「アカデミックハラスメント（教育における圧迫的な指導）」や「パワーハラスメント」（院生らに補助的な仕事をしてもらうときに圧迫的に接する等）も厳しく批判され、告発された場合は審理を経て事実認定がおこなわれ、「クロ」の場合は厳しい処分を受ける。また、講義内で特定の人種や民族、国家、国民や宗教に差別的な言辞をおこなった場合も処分される。思えば、一九八〇年代には「おまえのような馬鹿がいるから指導が楽しい」「××人は国際学会でうるさくてしょうがない」などの「暴言」を吐いたり、修士論文の締切一〇日前の年末に五〇〇ページ以上の分厚い専門書を二冊指定して読ませ、その内容を議論に含めるよう院生に圧迫指導をしたり、女子学生や院生をファーストネームで呼びつけにする大先生が私のまわりにはいた。いまなら全員アウトであろう。

よって、現在の大学教員は基本的に学生や院生に対して礼儀正しいし、優しい指導を心がけている。たまにメディアを騒がす「セクハラ」「アカハラ」「パワハラ」教員による救い難い事件が生じるが、それはかつてなら泣き寝入りさせられていたものが、今では許されないからこそ明らかにされているのだといえる。

以上、大学の教員はここ数十年の間に大きくその姿を変えた。その背景には授業評価や第三者評価の導入という外在的な「圧力」によるものが大きい。しかし同時に、教える側が「よい教師はどうあるべきか」ということを内在的に深く考えるようになったことも影響していると信じたい。そうでなければ、日本の大学教育が本質的に改善されることはないといえよう。

（二〇二二年二月執筆）

ビルマで犯した「罪」

一九八〇年代後半にビルマへ留学していた時のことである。当時、私はラングーンにある大学の男子教員寮に入っていた。停電が多く、水も一日四時間くらいしか来ないという不便な寮ではあったが、それなりに楽しい生活を送っていた。

ある日、かなりひどい下痢をしてしまい、熱も出てきたので自室のベッドで休んでいると、私の病状を聞いたビルマ人の親友が部屋を訪ねてくれた。それはとてもうれしいことであったが、ひとつだけ困ったのは、彼が「おなかをこわした時はこれに限る」と言って持ってきた食べ物だった。よりによって「骨付き鶏肉の唐揚げ」だったからである。

水を飲んでも下してしまいかねないほどの下痢をしているのに、どうして脂っこい「鶏肉の唐揚げ」が効くと彼が信じ込んでいたのか、当時も今も不思議でならない。だが、ふだんからとても親切な彼の厚意をこの時だけ断るのも悪いと思い、「ありがとう、あとでゆっくり食べさせてもらうよ」と言って、とりあえず受け取って隅に放っておいた。

彼が帰った後、この「骨付き鶏肉の唐揚げ」をどのようにしたものかと考えた。無理に食べようにも食欲はないし、食べたらすぐに下してしまうことは火を見るより明らかだった。そこでとにかく部屋から出て寮の玄関まで行き、その横にある訪問客のたまり場にこの「唐揚げ」を持っていくことにした。そこではいつも人がいるから、きっと誰か食べてくれるだろうと思ったのである。

ところが、玄関横に行ってみてもこのときに限って誰もいない。いつもは必ずいる守衛のウー・サーミーもいなかった。「これは困ったなあ」と思っていた時、寮に勝手に住みついていたかわいい雌のノラ犬が、唐揚げの匂いに気づいたのか、玄関にのこのこ入ってきて、私を人なつっこい目でじっとみつめ始めた。それはまぎれもなく「その唐揚げ、私にちょうだい」とおねだりしている目であった。ふだんから、寮のほかの先生方がこの雌犬を邪険にするのを見て不憫に思っていた私は、何の躊躇もなく、この犬に「骨付き鶏肉の唐揚げ」が盛られた皿を差し出した。

犬は一瞬「本当にもらっていいの？」という顔つきをしたが、私の笑顔を見て安心したのか、シッポをふりながら急いで食べ始めた。あっという間に全部食べ終ると、犬は「ありがとう」とでも言うかのように再び私に人なつっこい目を向け、すぐに玄関から去って行った。熱でボーッとしていた私であったが、何か良いことをしたような気分になり、いそいそと部屋に戻った。

翌日、下痢がおさまり熱も下がったので、外出すべく玄関に出ると、守衛がいたので健康が回復した旨を伝え、さらに何気なく例の雌犬のことを聞いてみた。守衛の返答を聞いた私はショックを受けてしまった。

「あの犬かい？　きのう、突然血を吐いて苦しみながら死んでしまったよ。ノラ犬だからなあ、何か変なものでも食べたんだろう。」

あの犬が血を吐いて死んでしまった？　そんなバカな……。しかしそのとき、私の脳裏にふと、犬好きの母が昔私に語っていた言葉が浮かんだ。「骨付きの鶏肉を犬に食べさせてはだめよ。鶏肉の骨は細くて尖っているから、犬の体の中で消化されず、内臓に突き刺さって苦しみながら死んでしまうのよ」。

そうだ、「骨付き鶏肉の唐揚げ」など、犬に絶対食べさせてはいけなかったのだ！　私は何という愚かなことをしてしまったのだ！　かわいい目で私をみつめてくれたあの雌犬を、私は自分の不注意から殺してしまったのである。何という不覚。あの犬が苦しみもだえている様子が思い浮かんでしまい、外出する気も失せてしまった。自室に戻った私は椅子に座り込んでしばらく立てなかった。

ビルマ人の多くが熱心に信仰している上座仏教では、このような行い（殺生）を「それまで積み重ねてきた功徳をつぶす行為」とみなし、みじめな来世を覚悟させられることになる。一方、キリスト教徒の私にとっても、こうした行為は「罪」以外の何ものでもない。万物の創造主の造った命を、人間がむやみに殺してはならないからである。
二年間にわたるビルマ留学はとても楽しかったし、その後の私のビルマ史研究の基盤を形成する時期として充実したものであったが、その中にあって自分の不注意から雌犬を一匹「殺して」しまったことだけは、ビルマで犯した「罪」として今でも忘れられない。その後、世界のどこにいようとも、犬と出会ったらそれまで以上にやさしく接するように心がけているが、果たしてその程度で「罪滅ぼし」になるのかどうか、私にはわからない。

（一九九六年一一月執筆）

第Ⅱ部

ビルマのいま、ビルマの未来

マグウェ市内のアウンサン像の前で
1987年2月（著者29歳）

アウンサンスーチーの生き方——心に自由の砦を

ビルマでは、二〇一〇年一一月七日、二〇年ぶりに総選挙がおこなわれ、その6日後、アウンサンスーチー（六五歳）が七年半ぶりに三度目の自宅軟禁から解放された。マスメディアの大々的な報道もあって、長らく軍事政権下にあるこの国にも変化の兆しが見えてきたのではないかという期待が一部で生じている。

現実はしかし、選挙が実施されアウンサンスーチーが解放されたからといって、すぐに民主化に向かって歩みはじめるというような単純なものではない。総選挙が不公正な憲法と法律に基づき、アウンサンスーチー抜きでおこなわれたことが象徴するように、この先につくられるビルマの新体制は、軍が議会を監視し、政治にいつでも介入できる疑似的な「民主主義」に過ぎない。この国の将来に、明るい展望はまだ見えてこない。

けれども、ビルマの人々が望む民主化や、軍政と国民との和解といった長期的な課題を考えるとき、アウンサンスーチーという女性が果たし得る役割は大きい。一九八八年にビルマ全土を揺るがした民主化運動の中から登場した彼女は、そのとき以来、この国から一歩も出ることなく、自国の民主化実現のために、通算一五年二カ月も自宅軟禁に処されながら、非暴力の手段だけを用いて軍事政権と闘い続けている。新聞や雑誌は彼女について多くの報道をするが、生き方の本質に関わる部分、換言すれば彼女の思想と行動について、その特徴を正確に報じることは稀だった。そこでここでは、アウンサンスーチーの生き方を紹介し、そこからビルマ一国にとどまらない、現代人が共通して直面する課題とその克服の方法を考えるヒントを示せたらと思う。

心の中の恐れをなくすこと

人間が誰かに対し憎しみを抱くとき、そこには相手に対する恐怖が心の中にあり、その恐怖は社会を堕落させる根源でもあるとアウンサンスーチーはいう。心の中の恐れをなくすこと、恐怖から自由になることこそ、各人が最も大切に取り組まなければならない課題だと彼女は主張する。それはいったいどういうことなのか。

彼女は説明する。独裁者はふつう、自ら進んで権力の椅子から降りようとはしない。降りたら最後、自分を憎んでいる人々によって復讐されるという恐怖心を抱いているからである。独裁者のそうした恐れの気持ちは、まわりの人々に対する猜疑心を強め、その結果、ますます強圧的な政治をおこない、限りなく堕落していく。一方、そのような独裁者に支配される一般の人々も、自分の生活を脅かされる恐怖から、独裁者の行いに何も抗議しなくなり、不当な命令でも聞き従うようになっていく。独裁者に良く思われようとして媚を売ったり告げ口をしたりする人すらあらわれる。こうして社会には不正義がはびこり、人々が抱く恐怖のために社会全体が堕落していくことになる。

かくしてアウンサンスーチーは断言する。大切なことは、独裁者であれ、一般人であれ、自分の心の中の恐れから自由になる努力をおこなうことであると。そして自分が置かれている状況を客観的に判断し、その判断に基づいて正しいと思われる行動をとる勇気を持つことであると。

ただし、ここでいう「正しいと思われる行動」は、「対立」を選ぶということではない。彼女は、自分自身が心の中の恐怖から自由になれば、自分と対立する者を憎むことがなくなり、憎んでいた相手と和解に向けた話し合いをおこなう勇気が生じるようになるという。彼女は実際、七年半にわたった三度目の自宅軟禁から解放された直後から、軍政に対し対話を申し出ている。日本の一部のマスメディアは、彼女が長期にわたる軟禁後にやっと対話という「柔軟な姿勢」を示すようになったのだと解説するが、それは正しくない。彼女は一九八八年八月にビルマで政治の舞台に立ったときから、軍政に対し一貫して話し合いを申し入れてきた。対話を通じ和解を模索し、共にビルマという国の改革をおこなおうという柔軟な態度をとり続けてきたのである。

国際社会もそうした彼女の姿勢を支持してきた。だからこそ一九九一年にノーベル平和賞が彼

アマラプーラの僧院にて　アウンサンスーチーとも交流があるウー・ピンニャ僧上と　1987年9月（著者30歳）

女に授与されたといえる。軍政はしかし、彼女との対話を今日に至るまで拒否し続けている。柔軟性に欠けるのは軍政のほうであり、そこには彼らがアウンサンスーチーと彼女を支持するビルマ国民に対し、恐怖心を抱いていることが見てとれる。

正しい目的は正しい方法でしか達成できない

アウンサンスーチーはまた、正しい目的は正しい方法を使ってのみ達成できると語る。目的と手段の間には同じ価値に基づく関係がなければだめで、正しい目的を設定しても、方法が目的に照らし合わせて正しくなければ、それは実現できないと主張する。これは何を意味するのだろうか。

ビルマでは長期にわたり、軍が圧倒的な強

さをもって政治や経済、社会や文化を支配している。そうした状況にあるビルマの国民にとって、自分たちが自由かつ多様に発展し、経済力をつけるためには、民主化の実現こそが正しい目的なのだと彼女は考える。そのことは多くの国民の支持を得ており、古くは一九九〇年の総選挙で彼女が書記長を務める国民民主連盟（ＮＬＤ）が議席の８割を獲得して圧勝しているし（軍政は結果を無視して政権移譲を拒否）、二〇〇七年には僧侶と市民が立ち上がって軍政に対する一〇万人規模の抗議行動を展開している（軍政はそれを武力で封じ込め、その際に取材していたフリージャーナリストの長井健司氏を射殺した）。

彼女はしかし、民主化という目的そのものがいくら正しくても、その実現のために民主主義にふさわしくない手段を選んだら目的は達成されないという。すなわち、軍政側が暴力や策略を用いるから、民主化を求めるこちらも同じような手段を用いるということをやってしまうと、それによって軍政を倒すことができたとしても、新しく登場する政府や体制は、その後も難問や危機と直面したとき、過去の経験に基づいて安易に武力に頼った解決法を選び、その結果、安定した民主的な体制を築くことができないと考えるのである。内実を伴った民主化は、民主的な方法でつくりあげないかぎり実現できず、民主主義と対立する暴力や策略などの方法に頼ってはならないと彼女は訴える。ノーベル平和賞によって評価された彼女の非暴力主義はこうした考え方に支えられている。

私たちの生き方と照らし合わせてみると

ふりかえってみれば、私たちはアウンサンスーチーとはかなり異なる生き方をしていることを思い知らされる。人を憎むことは良くないことくらい分かっていても、その背後に相手に対する恐怖心が巣食っているということまではふつう認識しない。心の中の恐怖に打ち勝つ努力を怠ると、自分だけでなく、社会そのものまで堕落するなどともまず考えない。しかし、まわりを見てみれば、一人ひとりが心の中の恐怖を克服することができないために、いかに大小さまざまな不正義が野放しになっているかということに気がつく。いじめ、差別、各種ハラスメントなどの問題は、お互いが恐怖を克服し、対話を通じて和解を求める姿勢を持たないかぎり、本当の意味での解決は難しい。

正しい目的と正しい手段の一致については、もっと深刻である。近代社会は目的と手段を分け、目的が正しければ、手段は最も効率がよいと思われるものを選ぶのが一般的となっている。たとえば学生の本来の目的は、大学で「問題意識を持って批判的考察をおこない、教養を身につける」ことであるはずだ。しかし、現実には単位のとりやすい講義を選び、インターネットを通じた安易な情報獲得に走り、ときに「コピペ」とよばれる丸写しなどして「効率よく」レポートを書き、「よい成績」をとろうとする。仮にそれで優等な成績で卒業できたとしても、そこにいる人間は「なんでも効率よく物事をおこなうことに長けた人」という、本来の目的からかけはなれた存在である。手段を誤ったために、そうなるのである。

「戦争を早く終えるために広島と長崎に原爆を落とした」とアメリカの多数派世論はいまでも主張する。しかし、日本を降伏させるという目的は果たせたものの、「二度と戦争が起きない平和な世界をつくる」というより本質的な目的については、戦後の核兵器の開発競争と拡散によって、遠い道のりを歩まされることになった。原爆投下は平和構築という目的にはふさわしくない誤った手段だったのである。

このように、アウンサンスーチーは単にビルマ一国だけと関わる存在ではなく、効率最優先の現代社会に生きる私たちに、「それでよいのか」という「問いかけ」を与えてくれる貴重な存在なのだといえよう。

（二〇一一年一一月執筆）

ビルマ民主化への道のり――議会に入ったアウンサンスーチー

二〇一一年三月、二三年間続いたビルマの軍事政権は自らその幕を下ろし、「民政」に姿を変えた。それから一年と一カ月、旧軍政のナンバー4だったテインセイン大統領率いる現政権は、民主化に向けた方向転換を演じ、メディアはそれを明るい論調で報道している。アウンサンスーチーへの注目度も増している。

しかし、私たちはこの国の「変化」をどこまで信じて良いのだろうか。かつて一九九〇年におこなわれた総選挙で、アウンサンスーチー率いる政党が圧勝したにもかかわらず、その結果を無視した国である。二〇〇七年には、平和的な反軍政デモを展開した僧侶に対し水平射撃をおこなった前歴を持つ国でもある。そのような抑圧的国家が、突然、国民和解に向けた民主的な体制にシフトしたというのだろうか？

補選に圧勝したアウンサンスーチー

二〇一二年四月一日に行われた国政（上下両院）と地方議会の補欠選挙（対象四五選挙区）では、アウンサンスーチー（六七歳）が党首を務める国民民主連盟（ＮＬＤ）が、資格審査で落とされた上院の一選挙区を除く四四選挙区に四四人の候補を立て（各選挙区定員一）、四三人の当選者を出して圧勝した。下院三七選挙区と地方議会二選挙区は全勝、上院は候補を立てた五選挙区中四選挙区で勝利を収めている（唯一負けた選挙区では期日前投票分が捨てられるという不正があったといわれている）。アウンサンスーチー自身もヤンゴン南部の下院選挙区で八五％以上の票を得て当選した。これによってビルマの民主化に向けた歩みは確定的になったかのごとく、状況を好意的に描く報道が目立つようになった。

ビルマの「変化」はしかし、まだまだ「小さな一歩」を示したに過ぎない。補選で圧勝したとはいえ、ＮＬＤの議席数は両院の総議席の一割にも満たない。さらに注意したいのは、現政府の正統性を保障する二〇〇八年憲法が、軍による国家統治への介入をさまざまな形で認めていることである。

この憲法が国民主権を保障する方向で改正されないかぎり、ビルマの「変化」は軍人たちに囲まれた「小さな土俵」の中で展開されるだけである。だからこそ、テインセイン政権は安心してＮＬＤの補選参加を認めたのだといえる。彼らはそれによって、米国などの経済制裁解除を狙っている。その意味で、現在の「変化」は本質的な部分での変化ではないのである。

現憲法では上下両院それぞれの議席の二五％があらかじめ軍人たちに割り当てられている。残り七五％の議席は選挙で選ばれるが、二〇一〇年総選挙ではＮＬＤが参加できなかったため、現段階ではその六割強が軍出身者かそれに準ずる人物によって構成されている。

アウンサンスーチーの戦略

アウンサンスーチーは補欠選挙における圧勝のあと、国民に対する第一声のなかで、「急激な変化を望んではいけない。やるべき課題は多く、一歩一歩着実に進んでいくしか方法はない」という発言をおこなった。これは彼女らしい言い方である。

アウンサンスーチーの思想と行動の特徴に、正しい目的を実現させるためには、それにふさわしい正しい手段だけを用いるべきだとする「目的と手段における基準の一致」というものがある。この考え方に基づき、彼女は民主主義という正しい目的の実現のためには、理想を一気に実現させようと焦って誤った手段を選ぶのではなく、民主主義にふさわしい正しい手段を選択し、時間がかかっても一歩一歩状況を改善させていく必要があると訴えるのである。

彼女がビルマの国政に下院議員として参加する決心をした理由は何であろうか。第一は、議会に入ることによって、より密接に現政権との対話を深めることが可能になると判断したからである。彼女は対話による和解の推進を常に行動の基本に据えており、現政府との対話を継続するにあたって最もふさわしい場所が、たとえ多くの欠点を有するといえども議会であると判断したのである。

第二は、民主主義の基本が「法の支配の確立」にあると強調する彼女にとって、少数野党であっても、政府が「法の支配」に基づく適切な行政をおこなうよう監視することができると考えたからである。それに加え、政府に対案を示したりNLDの独自法案を提出したりして、政府側の法案の一部修正を実現させることができると考えた可能性も高い。

第三は、NLDが議会の中で常に議論の中心的役割を果たすことによって、国民に対し同党の存在感を示し、二〇一五年におこなわれる次回総選挙での勝利に向け環境を整えたいという戦略もある。これは党利党略的な発想ではない。アウンサンスーチーとNLD、そして同党を支持する多くの国民にとって、当面の政治目標は軍中心の体制を認めた現行憲法を民主的な内容に改正することにある。これはしかし、現憲法の規定により、両院それぞれ七五%以上の議員の賛成を得ないと発議できないため、まずは両院の過半数の議席を獲得しないことには話が現実性を帯びてこない。よって、憲法改正実現のために次回総選挙での圧勝が何よりも重要な課題となる。

ただ、アウンサンスーチーの場合、少数野党の段階であってもテインセイン大統領との直接対話を深めることによって、大統領側に憲法改正の重要性を理解してもらい、政府提案の形で改正への道を切り開く可能性もありえる。その場合、「憲法の改正はまだ考えていない」とくりかえし明言する大統領をどこまで説得できるかが問われることになる。

（二〇一二年六月執筆）

ビルマ民主化の行方——道義的強さで国民と連帯

有権者はアウンサンスーチーを選んだ

大方の予想通りだったとはいえ、二〇一五年一一月八日にビルマで行われた総選挙は、アウンサンスーチー率いる国民民主連盟（NLD）の圧勝に終わった。笑顔にあふれる有権者の姿を、世界中のメディアが大きく報道した。

NLDの上下両院の総獲得議席は三九〇に達し、わずか四二議席にとどまった与党・連邦連帯発展党（USDP）に九倍以上の差をつけ、国民の支持の強さを見せつけた。両院それぞれには軍人議員枠が二五％ずつ存在するが、それを含めても、NLDは上院の六〇％、下院の五八％の議席を確保し、大統領を選出できる「数の力」を獲得した。政権交代は二〇一六年三月になるが、その準備はすでに開始されている。

今回の選挙で与党は、二〇一一年三月の「民政移管」からはじまったテインセイン大統領による四年半の改革路線への評価を訴えた。しかし、有権者の多くはそれに応ずることなく、最大野党だったNLDへ投票した。それは改革路線がはじまる以前の過去二三年間にわたる旧軍政（一九八八〜二〇一一）の流れをくむ現与党に対する拒絶の意思表示であり、かつ「軍に政治の世界から離れてほしい」という国民の願いの表明にほかならない。

有権者はまた、何よりも指導者の交代を望んだ。国民の信託を得て就任したとはいえないテインセイン現大統領の続投を拒否し、一九八八年以来、長期の自宅軟禁に象徴される数々の抑圧に堪えながら民主化運動の先頭に立ち、一九九一年にノーベル平和賞を受賞して国際的にも広く知られるアウンサンスーチーを指導者として選択した。

そこには「経済的豊かさ」さえ掲げれば、人々の歓心を買うことができると踏んだ、与党の国民蔑視に対するしっぺ返しも含まれていた。選挙期間中に与党の候補者らが有権者に米を無料配るなど、数々の選挙区で不正行為があった。一方、何も「贈る」ことができないNLDの候補者らは、「与党からもらえるものはとりあえずもらっておいて、でも投票日にはNLDに一票を」と訴えた。多くの有権者はその通りに動いた。

もちろん、人はだれでも物質的豊かさに憧れる。「敬虔な上座仏教徒が多い」と言われるビルマ国民も例外ではない。出家者を除けば、貧しく質素に過ごしてもよいなどとは誰も思っていないだろう。しかし、ことさらにモノやカネを見せつければ人の心は動くと考える与党側の傲慢な姿勢に対しては、「それは違う」と反発する「誇り」を持っている。アウンサンスーチーとNL

Dは、この点で与党より道徳的に優位に立ち、人々の信頼を勝ち得たといえる。

立ちはだかる壁

しかし、アウンサンスーチーは今後、茨に満ちた苦難の道を歩むことになる。なぜなら、現行憲法で保障された「軍の壁」が高くそびえ、彼女を阻止しようとするからである。

これだけ圧勝しても、彼女自身は大統領に就任できない。外国籍の配偶者や子どもがいる者を正副大統領の有資格者から除外する規定が憲法にあるからだ。二〇〇八年に現憲法を制定した当時の軍事政権が、彼女を大統領にさせないためにつくったものである。彼女の息子二人は英国籍で、かつてはビルマ国籍も有していたが、軍政期にはく奪されている。このため、アウンサンスーチーは別の人間を大統領に据えざるを得ない。

もちろん、NLDの「数の力」を活かして自分の意向に従う人物を大統領に指名することは可能である。しかし、すぐに次の壁が彼女を待ち受けている。組閣するにあたって、NLD政権は国防、内務、国境担当の三つの重要大臣ポストを選ぶことができない。この三ポストは憲法で国軍最高司令官が指名することになっている。そのため軍と警察と国境管理に関する権限は、合法的に国軍側に握られてしまい、内閣の一体性や、大統領の権限行使は強い制約を受けることになる。

現憲法には国軍の力を保障するもう一つの制度がある。政府と国軍との重要な交渉の場となる国防治安評議会の存在である。この評議会は国軍総司令官の人事を決めることができるため、全一一名の定数のうち国軍関係者が六名を占め、優位に立っている。この評議会にアウンサンスーチーが加わろうとすれば、両院いずれかの議長になるか、外相に就任するしかない。

国軍にとって、憲法は自分たちが国政に深く関与し続けるための命綱である。二〇一一年三月にそれまで二三年間続いた軍事政権が終わり、現在の民政に移管して以降、国軍は今日まで一貫して憲法の堅持を主張している。一項目たりとも改憲は拒否するというのが彼らの本音である。アウンサンスーチーは改憲を目指し、NLDも選挙公約でそれを主張したが、ハードルは著しく高い。両院それぞれの七五%+一名以上の議員の賛成がないと、改憲の発議はできない仕組みになっている。各院で二五%ずつ議席を確保する軍人議員のうち少なくとも一人が、NLD側に寝返らない限り、改憲は不可能である。

アウンサンスーチーは今後、自分とNLDが国民の強い信託を受けているという事実を国軍につきつけながら、先方の妥協を求めることになる。しかし、国軍のほうは憲法で認められた諸権限を盾に、彼女の指導力をできるかぎり阻止しにかかるだろう。茨に満ちた苦難の道の先に、光はなかなか見えてこないのがビルマの現実である。

「赦し」と「対話」そして「正しい手段」の模索

二〇一五年に七〇歳を迎えたアウンサンスーチーの人生は、政治の世界に入って以来、苦難の連続である。軍政期に三回にわたり通算一五年以上も自宅軟禁に処され、自ら率いるNLDも様々な抑圧を受けた。一九九一年にノーベル平和賞を受賞しても授賞式に出席できず、一九九九年にはチベット研究者だった英国人の夫（マイケル・アリス博士）も亡くしている。二人の息子とも、ほとんど会うことはできなかった。

その後、遅ればせながらビルマは民主化へ向けた歩みをスタートさせ、軍の強い関与を残しながらも多くの改革がなされ、アウンサンスーチーも解放されて二〇一二年四月の補欠選挙を経て下院議員に就任した。彼女は旧軍政が自分に対しておこなった数々の抑圧に対する「赦し」を基本に、現政権との「対話」を重視し、いっそうの民主化に向けた政治活動を展開しつづけた。過去への言及は避け、「いま」と「未来」をみつめた発言を心掛けた。特筆すべきは、自宅軟禁から解放後、軍政期に自分が受けた抑圧をいっさい話題にすることなく、それを蒸し返して関係者に復讐をほのめかしたりすることも全くなかったという事実である。彼女が道徳的に優位に立っていることの証は、ここにも見られる。

「正しい目的」は「正しい手段によってのみ」達成されるという考え方が、アウンサンスーチーの政治姿勢の基本である。日々変化する現実を客観的に見つめ、その時々に応じた「正しい」目的を設定し、それに相応しい「正しい」手段の実践を重視する。彼女の政治行動の基本パターンは常にこれに沿っている。今後は与党の指導者という立場で、この姿勢が試されることになる。

ただ、国民の多くは、新しいＮＬＤ政府が順調に成果を挙げることができなくても、それでアウンサンスーチーを責めることは当面しないだろう。「アウンサンスーチーさんが苦労しているのは、軍が新政権に協力しないからだ」と解釈する可能性が高い。そこには道徳的に優位に立つ指導者が、そうではない軍によって民主化への道のりを阻害されているという理解が存在する。この理解が国民の間で共有される限り、政治は混迷しても、彼女と国民の多数派との「蜜月」は続くことになろう。

（二〇一六年二月執筆）

危機のなかのビルマ——機能しない仲裁外交から標的制裁へ

二〇二一年二月一日に発生したビルマの軍事クーデターは、その後の市民による不服従運動が長期化するなか、国軍の封じ込めはいっそう激しさを増し、国家を危機的状況に陥れている。非武装の市民に対し機関銃やロケット砲まで使用する弾圧は、ビルマ国軍のイメージを国内外において決定的に悪化させた。

クーデター発生後四ヶ月近くがたつ現在、八七〇人以上の市民の命が奪われ、逮捕者も六〇〇〇人を超え、釈放者は二割程度しかいない。制度化された拷問による死亡報告も二〇件を超える。国軍によるクーデター政権は不服従運動に参加した教員と公務員の大量解雇に踏み切り、その数は一五万人を超える。また、私服調査員（ダラン）と官製自警団（ピューソーティ）を活用した住民監視を強化し、家宅捜索を名目にした略奪も行なっている。市民ボランティアによる食料や医療品援助の行動も妨害を受け、物資の取り上げや関係者の逮捕が生じている。もともと内戦状態が続いていた山岳高原地帯の少数民族居住区では戦闘がいっそう激化し、一部の市民が新たに武装化したこともあり、その討伐を名目にした国軍による村の焼き討ちがなされている。被害に巻き込まれた住民の一部は国内避難民となって不安定かつ危険な状態に置かれている。

一方、不服従運動の広がりを追い風にして、クーデターで政権を奪われた与党の国民民主連盟（NLD）と親NLD系の少数民族政党が中心となり、国民統一政府（NUG）がクーデター後一ヶ月半ほどで結成された。NUGは対抗政府として国軍が嫌う文民統制の全面復活を目指し、公正な権限を持つ少数民族州の設置を前提とする「フェデラル民主制」の憲法構想と、国軍による攻撃から人々を守るための武装義勇軍ともいえる国民防衛隊の結成にくわえ、国軍そのものの解体と、それにかわる新しい連邦軍の構想を提示している。ただ、NUGは国民の高い支持という正統性を獲得しているとはいえ、現段階ではオンライン政権の限界を打ち破るに至っていない。

正統性はゼロでも国土の八割を実効支配する国軍（＝クーデター政権）と、オンライン政権とはいえ国民の支持を得ている正統政権のNUGが正面から対立するなか、国際社会による両者の話し合いや妥協を導く仲裁外交は全く機能を果たせていない。そもそも機能が果たせる条件が整っていない。仲裁外交が有効性をもたないのであれば、現状を改善に向かわせる方法としては、国際社会ができるかぎり一致して、正統性に決定的に欠ける国軍と国軍幹部個人、それを支える関係企業に対する標的制裁を行なうことが必要となろう。並行して正統性を有するNUGとの関係を強化することも大切となる。

クーデターの目的

ビルマ国軍のクーデターは、アウンサンスーチー国家顧問体制二期目の始まりとなる連邦議会招集日の未明に起きた。国軍は与党NLD出身のウィンミン大統領に対し、二〇二〇年一一月八日の総選挙で有権者名簿に大量の不正があったのに調査を怠ったとして辞職を迫った。不法な要求を拒否した大統領は即座に拘束され、国軍はミンスエ第一副大統領（国軍出身）に大統領権限を委譲すると、彼に非常事態を宣言させた。これに基づきミンアウンフライン国軍総司令官が全権を握った。前後してアウンサンスーチー国家顧問（NLD党首）も拘束され、多数の与党議員や支持層の著名人も捕らえられた。

二〇二〇年一一月の総選挙ではNLDが二〇一五年に次いで二度目の圧勝をおさめている（上下両院で三九六議席、民選総議席の八三％獲得）。一方で国軍系野党のUSDP（連邦団結発展党）は前回以上の大敗を喫した（同三三議席、六・九％）。日本も参加した海外からの選挙監視団は総選挙がおおむね公正に行なわれたとして評価し、選挙管理委員会も国軍とUSDPから出された不正調査要求を却下した。実際、有権者名簿に多少の不正があったところで、同一人物による二重投票はけっしてできないシステムになっており、圧勝したNLD側に不正をしてまで当選者を増やす動機が見当たらないため、この要求は理不尽なものだった。国軍はそれでも有権者名簿の不正を政府が調査しなかったために「非常事態宣言」を発出したのだと説明するが、それは表面上の理由に過ぎない。真の理由は、アウンサンスーチー政権が文民統制（シヴィリアン・コントロール）を強化し、国軍が政治に関与できる範囲を縮小し、最終的に政治から排除する意向を強く抱いていたことに対する国軍の根源的危機感があったためといえる。

二〇〇八年に制定された現行憲法は、当時の軍事政権（一九八八―二〇一一）が一五年かけてつくりあげたもので、国軍の政治的権限が盤石に認められている。行政府では国防省（国軍）、内務省（警察）および国境省（国境治安維持）の権限が国軍総司令官の下に置かれ、二人いる副大統領のうち一人は必ず国軍側から出せる仕組みになっている。立法府では上下両院それぞれの議席の二五％が軍人に割り当てられている。さらに大統領が非常事態を宣言すれば全権を国軍総司令官に最長二年間委譲できる「合法クーデター」条項まで含まれ、今回のクーデターではこの条項が悪用（誤用）されている。このように文民支配の範囲を限定し、軍人支配の範囲を明確に保障した憲法がある限り、国軍にとってクーデターを起こす基本的理由は見当たらない。しかし、国軍には我慢できない大きな要因があった。

それは二〇一六年四月にアウンサンスーチーが国家顧問に就任したことである。現行憲法には外国籍の家族を持つ人物が正副大統領に就任することを認めない資格制限条項があり、それは二〇〇八年に国軍がこの憲法を発布した際、国民的人気を誇るアウンサンスーチーが将来、いかなることがあっても大統領に就任できないようにするために含めた規定であった。彼女の配偶者

（故人）と二人の子息が英国籍であるため、この制限を設けることによって国軍は彼女の大統領への道を閉ざしたわけである。

ＮＬＤは二〇一五年一一月の総選挙で過半数をとると、まずは国軍に大統領資格条項の効力一時停止を申し入れる。憲法改正には上下両院の七五％＋一名以上の議員の賛成が必要なため、二五％を軍人議員が押さえている議会での改憲は実質不可能であり、そのため話し合いによる解決を目指したのである。しかし、国軍は一切応じなかったため、ＮＬＤは憲法の隙をつく行動に出た。それは政権交代直後の翌二〇一六年四月、国家顧問という「国家元首の大統領より上に立つ」役職の設置を議会で可決させ、アウンサンスーチーを就任させることであった。

国軍にとってこれは許しがたい行為だった。憲法には過半数の同意があれば政府に新しい役職を設置できる規定が設けられていたが、その条項を思いもかけないかたちで使われてしまい、アウンサンスーチーが実質的に政権のトップに就いたことは、国軍に決定的な不満をもたらした。その後、両者の交流はとだえ、冷戦状態へ至る。

アウンサンスーチー国家顧問体制下のＮＬＤ政権は、二〇一九年から二〇年にかけて文民統制を強める方向で憲法改正を試み（国軍側の反対で否決）、退役軍人の有力な天下り先でもある国営企業の民営化も企てた。二〇一七年に生じたロヒンギャ難民問題では国際社会から政府と国軍による「民族浄化」を非難されるも、アウンサンスーチー国家顧問は国際司法裁判所に出向いて全面否認する一方、国軍部隊の一部で「行き過ぎ」行為があったことは認めた。これら一連の行動が国軍の怒りをいっそう強めた。

一方で、国軍は国民のあいだでＮＬＤへの支持が下がっていると判断し、二〇二〇年一一月の総選挙ではＮＬＤが過半数を維持できないと予想した。しかし、再度のＮＬＤ圧勝を見せつけられると、ひきつづきＮＬＤ主導の議会で国軍が守勢にまわり、憲法改正は阻止できるものの、国軍のプライドが傷つけられる状態が続くことにはかわりがないと判断し、そのため「非常事態」を強弁して政権転覆へと走ったのだといえる。

したがって、クーデターの目的は明確である。二年間の非常事態宣言の間にアウンサンスーチーとＮＬＤを政界から排除し、その後、両者抜きで総選挙を実施して、軍人議員と国軍系政党（ＵＳＤＰ）を中心に議会で過半数を確保のうえ、軍人系の大統領を選出する。国軍の権限が盤石に保障された現行憲法を堅持し、その土台の上に「軍の言うことを聞く政権」を載せることこそが、今回の国軍による政権転覆の目的なのである。そこには文民統制の影響を受けることへの国軍の強い嫌悪が見られる。

なぜ文民統制を拒否するのか

国軍の文民統制嫌いは次の標語に見られる。これは旧軍政期の一九九〇年代に登場した国軍のスローガンのひとつであるが、彼らの性格を端的に象徴している。

「国軍だけが母、国軍だけが父、周りの言うことを信じるな、血縁の言うことを信じよ」

国家を正しい方向に導けるのは国軍（両親）だけであり、議会政治家や外国勢力（周り）の言うことは国家を誤った方向に導くものだから従ってはならぬというこの主張は、現在は使われていないが、国軍の政治関与への度合いが半端なものではないことを証明している。

そういう国軍ではあるが、自国がビルマ連邦の名称で英国から独立した一九四八年から一四年間は文民統制のもとで過ごしている。ウー・ヌ首相が政権を運営したこの時期、国軍は憲法に基づく議会制民主主義と、与党である反ファシスト人民自由連盟（AFPFL）が目指した段階的な経済の社会主義化を支持した。一方で、独立とほぼ同時にビルマ共産党（BCP）とAFPFLの私兵団だった人民義勇軍（PVO）白色派との内戦がはじまり、そこにカレン民族同盟（KNU）の武装抵抗が重なり、国軍はその対応に追われた。一九五〇年代前半には国土の六割を占める平野部で地元有力者らによる各種の私兵団がはびこり、それを封じ込めるなかで、多くの混乱と直面した。特に前線で戦闘と直面する部隊を率いる各地の司令官たちが、安全な首都で作戦命令を出す参謀本部へ反発を強めたことは、国軍自体の結束を乱すことにもつながった。

そのようななか、かつて日本占領期末期の抗日闘争（一九四五年）で連帯したAFPFL系の政治家と国軍将校との関係は悪化していく。特にAFPFLが与党であるにもかかわらず不安定化し、一九五八年に二派に分裂して議会が機能しない事態に至ると、国軍参謀本部は軍内不満分子によるクーデター決起を危惧し、ウー・ヌ首相に国軍への合法的な政権委譲を提案する。首相はそれを受け入れ、国軍は選挙管理内閣を二年間受け持つことになった（これを一回目のクーデターとみなす学説もある）。ネィウィン大将が首相となり、国内の治安を立て直し、参謀本部と前線司令官の溝も人事異動のシステムをかえるなどして改善に努め、一九六〇年に総選挙を行なって民政に戻した。この二年間は国軍にとって政治関与への絶大な自信を持たせることになった。

換言すれば、一九五〇年代の議会制民主主義体制（ウー・ヌ首相期）の混乱が、文民統制の下でしか動けないことに対する国軍の反発を蓄積させ、政党政治への懐疑を強め、自国を正しい方向に導くのは「政党ではなく国軍だけである」という自負心を強めることになったといえる。それが一九六二年三月の最初の軍事クーデターへとつながり、独立時の憲法の廃止と政党の解散を経て、文民統制への（永遠の）別れを告げることになったのである。

一回目のクーデター時はまだ冷戦下であり、イデオロギー優先の時代であったため、国軍は自国の独立運動期以来の悲願であった社会主義経済体制の実現を目指し、ビルマ式社会主義という「革命」路線を歩んだ。それは最終的に経済の著しい停滞を生じさせ失敗に終わるが（一九八八年の民主化運動をもたらした）、文民統制から自由になっていた国軍には議会制民主主義に戻る気はいっさいおこらず、その後、二〇一一年まで二三年間にわたる軍事政権を担い続け、その間に現行憲法を作成して擬似的な議会制を選択することになった。

国民の支持なき権力維持の背景

ところで、現在、国軍は自国民を武装していなくても平気で撃ち殺している。これでは国民の支持が得られないことは明白だが、なぜそうした行動がとれるのだろうか。その要因について考えてみたい。

一つは一九四八年の独立以来、今日に至るまで七三年間、休みなく戦闘を続けてきた世界でも稀な政府軍だという事実がある。それも戦闘相手は、一九四九年末にビルマの東北部（シャン州）に侵入し一九六一年まで居座った中華民国軍（国府軍、蒋介石軍）の残党勢力を除けば、常に自国民だった。

当初の具体的な自国民の敵は、既述のビルマ共産党やPVO白色派（いずれも多数派民族のバマー中心）と、少数民族の政治組織であるカレン民族同盟（KNU）並びにその軍事部門であり、一九六〇年代以降は二〇以上の少数民族軍事組織と戦闘を続けた。PVOはのちに消え、ビルマ共産党も一九八九年に自壊したが、少数民族軍事組織との戦闘は今日まで継続している（一部で停戦成立）。この間、一九六二年の第一回クーデター時には、ラングーン大学学生同盟の建物にこもって抵抗をつづけた大学生を爆弾で数十名殺害し、一九八八年の第二回クーデター時にも学生や市民のデモ隊に水平射撃を繰り返し、総計で一〇〇〇人前後を殺害している。今回のクーデター後もすでに八七〇人以上を殺害している（二〇二一年七月現在）。このことからわかるように、相手が武器を持っていようがいまいが、少数民族であろうがなかろうが、自国民を敵として殺害することに慣れてしまったのが現在の国軍なのである。

二つ目の要因として、国軍が国民の中に支持基盤をつくらなかったことを指摘できる。一九六二年の一回目の軍事クーデターで文民政権を倒すと、独自の社会主義イデオロギーに基づいて国軍とビルマ社会主義計画党（ＢＳＰＰ）が表裏一体となる独裁体制が築かれた。同体制は各種の管制動員を行なって「労働者人民」の「団結」を促し、ＢＳＰＰ党員も百万単位で増やしたが、いずれも強制ないしは準強制を伴う動員だった。そのため国民の側からの積極的な支持基盤形成につながることなく、全土的な民主化運動を封じ込めて二回目のクーデターを行った一九八八年には、すべて雲散霧消している。同年から二〇一一年までの旧軍政期においても、現在の国軍系政党ＵＳＤＰの前身である連邦団結発展協会（ＵＳＤＡ）をつくり、会員数二〇〇〇万人を誇ったが（当時の人口の半分）、実態は公務員とその家族の強制参加を軸とする動員だった。このように国軍にとって国民は動員対象にすぎず、強制や命令で動かすことはできても、下からの国軍に対する自主的な支持は弱いままだった。国軍が総選挙のたびにＮＬＤに敗退したのは、国民の世論を読めなかったからであるが、それは支持基盤をつくってこなかったことと密接に連関している。

　もうひとつの要因として、国軍自らが経済利権を構築し、それを拡大安定させたことを指摘したい。独立後に内戦で苦しんだ国軍は、十分な国防予算を確保できないため、将兵とその家族に生活必需品を安価に提供する目的と、国軍自体の安定した収入源を確保すべく、一九五〇年に国防協会（DSI）という小さな企業群をつくった。それは一九五〇年代末までの短期間に銀行・保険・海運・メディア・貿易会社等を含むコングロマリットに成長する。ビルマ式社会主義時代（一九六二―八八）にはすべて国営企業に衣替えされたものの、軍政期の一九九〇年代に入ると再び民営化され、国防省がつくった二つの持株会社の下にそれらを組み入れ、国軍系複合企業体を形づくった。これにより国防省（＝国軍）と多数の将校たち（退役者も含む）は莫大な株主配当金を確保できるようになり、その収益総額は毎年の国防予算を上回っている。すべて非公開・非課税のため、ブラックボックスと化し、関係者以外には誰にも内側が見えない状況となっている。結果的に国軍はビルマ経済そのものの繁栄よりも、自己の利権である国軍系複合企業体の利益のほうを優先するようになり、武力・政治・経済のすべての面で自己完結した集団として、国内において権力を維持できる構造を作り上げたといえる。

　こうした三つの要因が複合し、国軍は議会制民主主義体制に服した独立当初の一四年間とは異なり、その後は徐々に文民統治の復活を求める国民を「命令に従わない敵」とみなすようになっていった。その結果、自国民であっても守る対象ではなく「取り締まる対象」として意識するようになった。今回のクーデター後の暴虐行為は無論のこと、尋問センターと呼ばれる拷問施設を各地につくり、政治的理由でとらえた国民を肉体的に傷つけるシステムまで築き上げたことは、何よりもそのことを象徴している。

不服従運動の長期化とフェデラル民主制

今回のクーデターでは、政権転覆の数日後から看護師や医師による不服従が展開され、それが市民不服従運動（Civil Disobedience Movement ＝ＣＤＭ）という名称で全国に広がったことが多くの注目をひいた。

この運動の主役はZ世代と呼ばれる二〇代を中心とする若者たちである。二〇一一年以降の民政移管で、擬似的な議会制民主主義のもととはいえ、一定の自由と経済発展を享受してきた都市中間層のZ世代が一斉に立ち上がり、各地で連日フェイスブックなどのＳＮＳを活用した自主的参加に基づく集会やデモを行なった。数百万人規模のゼネストも不定期に起こした。Z世代にとって、クーデターは自分たちの人生設計を根源的に狂わせる事態にほかならなかった。もともと政治に関心を抱く世代ではなかったが、政治が「他人事」ではなく、自分たちの生活と密着する大切な問題であるということに、このクーデターで気づいたのだといえる。実際、あるZ世代の女性は「国軍は手をつけてはいけない世代に干渉し、彼らを本気で怒らせてしまった」と語っている。

不服従参加者は職場への出勤拒否にはじまり、商店では国軍系企業の商品の撤去や消費者による不買運動を続けている。車や大量の廃棄物を意図的に道路中央に放置して交通渋滞を起こすほか、ビルマ伝統の起き上がりこぼし（達磨）を大量に道路において不通にするという文化的な抵抗も見られた。一連の不服従形態にはアメリカの政治学者ジーン・シャープ（故人）が提示した「非暴力行動一九八の方法」も活用されている。興味深いのはクーデター政権への収入源を断つため、自分たちが働く企業（特に外資系）の経営者に法人税の納税を無期限に延期するよう訴えていることである。これに応じている経営者もけっして少なくない。

運動には多数の公務員も参加している。五月以降、彼らへの解雇通知がクーデター政権によって次々と出されているため、動きとしては大幅に弱まったが、様々な省庁の職員が加わり、そのなかには外交官も含まれる。特にチョーモオトゥン国連大使が二月の国連総会の演説でクーデターを強く批判したことは、駐英ビルマ大使が同じ対応をとったこともあり、国際的に注目された。

一連の動きはZ世代より上の世代の共感を獲得することにも成功し、与党NLDも運動を追い風にクーデターへの対抗勢力として連邦議会代表委員会（CRPH）を立ち上げ、行政府として前述した国民統一政府（National Unity Government＝NUG）を発足させるに至った。閣僚名簿に多くの少数民族と女性を載せたＮＵＧは、現段階ではオンライン政権の域を出ていないが、国民の圧倒的支持を受け、国際社会による承認を訴えている。

ＮＵＧはビルマに文民統制を取り戻すことを必須とみなす政府であると同時に、「フェデラル」をキーワードにした連邦民主制を新憲法の基本方針に据え、自国の根源的つくりかえを目指している。

独立以降のビルマは「ユニオン」という英語で連邦制を表記してきた。「ユニオン」も「フェデラル」も日本語では連邦制であり、ビルマ語でもピーダウンズという語で示されるが、その意味する方向性は大きく異なる。「ユニオン」は強い中央政府を土台に、各少数民族が限定された自治権を（時に飾り物のように）付与される連邦制を意味する。他方、「フェデラル」はアメリカ合衆国のようにひとつひとつの州の権限が公平に保障され、各州が自主的に集まって連邦国家を形成するという意味合いを持つ。ＮＵＧは国内の少数民族諸勢力との連帯を意識し、「フェデラル」の概念に基づく新しい連邦民主制の形成を目指している。そのため多数派民族のバマー優勢の国軍を解体し、各民族が公正に加わる民主的で文民統制に従う連邦軍の結成も訴えている。このように単純にクーデターに反対し状態を元に戻すという抵抗運動ではなく、一九六二年以来ビルマで見捨てられてきた文民統制の復活を、少数民族の公正な権利保障を軸にして目指す未来志向の国民運動なのである。

毎年九月に国連の新しい会期が始まる際、総会では各国代表のクレデンシャル（信任）が審査されるが、通常は儀礼的なものとして終わるこの審査も、二〇二一年はミャンマーの代表権をめぐって注目をあび、最終的に総会での投票決着になる可能性がある。そのとき、国連加盟国は現在のＮＵＧ側の国連大使を正統なビルマの代表と認めるのか、それとも国軍が新たに送り込む大使を正統とみとめるのか選択を迫られる。加盟国の対ビルマ姿勢が問われるのと同時に、ＮＵＧにとっては国際的認知をとりつける正念場となる。

ちなみに不服従運動とＮＵＧの発足を通じて、国民の中のアウンサンスーチーの位置づけにも変化があらわれている。ＮＵＧの閣僚名簿ではアウンサンスーチーがひきつづき国家顧問を務め、彼女を支持する国民が圧倒的に多いことには何ら変わりはないが、その支持の質は変化している。一九八八年以来、顕著だった彼女一人に民主的な変革への期待を集中させる個人崇拝的な支持は弱まり、幅ひろい国民運動の精神的支柱としての役割を負うようになりはじめている。クーデターで彼女と国民との接点が断絶させられても、国民は自分たちの判断で不服従運動を起こし、継続し、対抗政府をつくり、フェデラル民主制を基盤とする未来の自国像を追究する自主性を見せるようになった。かねてより個人崇拝に懐疑的だったアウンサンスーチー本人にとって、こうした現象は肯定的にとらえられているはずである。

機能しない仲裁外交をどう乗り越えるか

クーデター後のビルマの状態を改善に向かわせるためには、正統性に欠ける国軍の退場と、正統性において比較優位の立場にあるＮＵＧの政府承認という方向で、国際社会が取り組むべきだといえる。しかし、現実は日本を含む主要先進国（Ｇ７）およびＥＵ・オーストラリアのグループと、中国およびロシアとの間で、ビルマ問題の解決をめぐって深刻な対立がある。そのため国連安全保障理事会も暴力の即時停止以外、明確な非難声明を出すことができていない。特にロシアは武器市場としての魅力から国軍支援に積極的な姿勢を見せている。中国も自国のビルマでの経済利権維持に必死であり、クーデターへの非難を抑えている。Ｇ７に立つ日本政府は強い非難声明を出す一方で、「国軍との太いパイプ」を強調して独自の姿勢を見せてきたが、実際には何の役割も果たせないでいる。パイプといっても数名の個人がミンアウンフライン総司令官と電話で話せる（ないしは会って話せる）だけのことを意味するにすぎず、彼らとしては総司令官の機嫌を損ねたくないため、大切なことは何も伝えることができていない現状にある。

その中で、ビルマも構成員の一員である東南アジア諸国連合（ＡＳＥＡＮ）の役割に期待がかかるのは当然である。しかし、そのＡＳＥＡＮも全会一致主義をとっているので、ビルマ国軍が反対するような声明はいっさい出せないし、その方向での関与もできない。国軍と深い関係にある隣国タイ政府も、軍を含め非常に宥和的である。結局、ＡＳＥＡＮとしては玉虫色の対応しかできず、ミンアウンフライン総司令官はそのことを読み切っている。

このように、仲裁を旨とする国際外交はビルマに対して機能を果たしていない。そのようななか、国軍が今後も頑なに姿勢を変えず暴力行為を継続するのであれば、国際社会は可能な限り、一部の先進国が実施しているような軍事政権の収入源をターゲットとした標的制裁を強める方法をとるしかない。そのためには国家全体ではなく人権侵害を犯した個人と団体（軍、政府部局などの組織）に範囲を絞って制裁を行なうことができるマグニツキー法（グローバル・マグニツキー人権説明責任法）の制定が求められる。G7では日本だけが未制定であり、早急の対応が求められる。

日本政府は二〇一九年度だけで一九〇〇億円にのぼった政府開発援助（ODA）の縮小や停止の検討をしている。マグニツキー法が未制定の日本にとって、ODA全面停止は対ビルマ外交で切れる制裁に準ずるカードだけに、まずはそれを完全実施することが求められる（純粋な人道援助は除く）。その際、停止を解除する基準を決めておく必要がある。すなわち、国軍が暴力停止・拘束者の解放・NUGとの話し合い開始など、妥協の姿勢を見せるのであれば、段階を踏みながら停止を解除していくという方法をとるということである。

既述のように、毎年九月の国連の新会期開始時にビルマの代表権確定において加盟各国は「踏み絵」を踏むことになる。日本政府もNUGとの交渉を開始すべきである。その際、NUG側から どのようなODAプロジェクトであれば継続してもよいか（ビルマ国民が納得するか）、彼らの意見を聞くことも求められる。

正しい目的と正しい手段

最後にアウンサンスーチーの思想的原点に触れたい。彼女は一九八八年に自国の民主化運動に参加した時から、「正しい目的は正しい手段によってのみ達成される」と訴えてきた。これはインドのガンディーの考え方を踏襲したものであるが、民主主義という「正しい目的」は、それにふさわしい「正しい手段」を用いて取り組まない限り、達成は困難であるということを意味するものである。誤った手段を選んでしまうと、表面上は民主化を達成できたようにみえても、いずれ砂上の楼閣のように崩れ去っていくというこの考え方は、クーデター後のビルマに対し、国際社会がどのように取り組むべきかを考える際にも重要なメッセージとなろう。

仲裁外交の典型は、説得を基盤としつつ、政治的ないしは経済的なインセンティヴを提示して、国軍を交渉や和解のテーブルに着かせることである。だが、果たして国軍はテーブルに着いた後に暴力行為を停止し、拘束者を解放するであろうか。暴力行為はあくまでも「よい木を育てるための雑草取りである」と強弁し、拘束者についても政治犯ではなく刑事犯であるとうそぶく国軍に、その可能性はまず見いだせない。インセンティヴの「おいしい」部分だけを盗んで椅子から立ち上がって去り、何も交渉の成果を生み出さないリスクのほうが圧倒的に大きい。たとえ、国軍が一定の譲歩をしたとしても、この国に文民統制が復活するわけではなく、常に国軍のご機嫌取りをしていないと、いつまたクーデターを起こされるかわからない国家であり続けることになろう。これでは「正しい目的」は実現されず、小手先の成果だけの砂上の楼閣となってしまう。

一方で、前述した標的制裁にひとつでも多くの国連加盟国がかかわれば、たとえロシアや中国が国軍に武器を売り続け経済的関与を深めようとも、国軍の未来は先細り、国民を暴力的に支配し続けることは困難となろう。そのとき、並行してNUGを政府承認する国家が増えれば、国民に対する道徳的支援になるばかりでなく、ビルマ危機をめぐる国際的対応の潮目が変化し、オンライン政権から脱して、NUGが国軍にかわりうる実効支配政権として成長する鍵を得ることになろう。これこそ、私たちが選択すべき「正しい手段」ではないだろうか。

(二〇二一年八月執筆)

クーデター後のビルマ――Z世代による未来志向の抵抗

「国軍は手を出してはいけない世代に干渉し、彼らを本気で怒らせてしまった」。

ビルマのZ世代に属する一女性は、こう言って胸を張る。Z世代とは世界各国で一〇代後半から二〇代までの若い人々を漠然と指す言葉だが、本年（二〇二一年）二月一日に生じたビルマの軍事クーデターのあと、長期に不服従運動（CDM）を展開した中心もZ世代の若者たちだった。

少子化と超高齢化が進む日本とちがって、ビルマ総人口の二五％前後を占めるこの世代は、まさにこの国の未来を担う中心である。彼らのなかでも、都市部に住む大学生や大卒の男女が不服従運動の核心を担い、職業的には医師や看護師、公務員や教員、外資系企業の従業員らが目立った。

政治は「自分事」だと気づいたZ世代

彼らは元来、政治的な世代ではなかった。一九八八年の民主化運動に参加した彼らの両親世代から見れば、自分のことばかり考えている若者に映っていた。長い軍政を経て、二〇一一年からビルマで始まった民政移管は、国軍がいくつもの権限を握る擬似的な議会制民主主義体制に過ぎなかったが、かつて二六年間続いたビルマ式社会主義期の閉鎖体制や、一九八八年から「力の支配」が貫かれた二三年間の軍事政権期と比べれば、大幅な自由が実現した。

人々は一定の社会的自由と経済発展の恩恵を享受し、とりわけZ世代にその影響が色濃くあらわれた。ここ一〇年間、彼らは職業的な成功を夢見て自己研鑽を重ね、フェイスブックに代表されるSNSを通じた情報の受け取りや発信を日常的におこない、ゆるい横の連帯を築いてきた。

その彼らがクーデター後、一斉に立ち上がり、各地で連日集会やデモをおこない、数百万人が参加する不定期のゼネストまでやってのけるような政治行動をとるようになったのはなぜか。

Z世代にとって政治はクーデター前まで「他人事」だった。国家の問題は国民民主連盟（NLD）とその党首アウンサンスーチー氏に「おまかせ」しておけば大丈夫だと考えていた。それが、突然のクーデターで、すべてが国軍によって「強制終了」させられ、銃を突き付けられることによって自分たちの自由を奪われた。彼らはこのとき初めて、政治とは自分たちの生活と密接につながる「自分事」であるということに気づいたのである。

ビルマの不服従運動は世界的に注目された。大規模なデモや集会にはじまり、職場への出勤拒否、車や廃棄物、さらには伝統の起き上がりこぼし（達磨《だるま》）を大量に道路において通行不能にするなどして、経済全体の麻痺をねらった。こうした動きはZ世代を超えて広がり、商店では国軍系企業の商品の撤去や消費者による不買運動が広がった。

　不服従運動の思想的背景には、民主化運動指導者アウンサンスーチー氏の考え方がある。それは「不当な命令と権力には義務として従うな」という主張で、彼女はこれを民主化運動に加わった最初期から国民に訴え続けてきた。

　その彼女はいま、クーデターによって拘束され、無実の罪を着せられて国民との接点を失っているが、人々はZ世代を中心に、ここにきて初めてこの大切な言葉に従っているように映る。ただ、そこにはクーデター前まで見られたアウンサンスーチー氏への個人崇拝は希薄である。あくまでも自主的に不服従運動に参加しているのであり、その意味ではアウンサンスーチー氏一人だけに頼る姿勢から、人々の多くは「卒業」したといえる。

国軍による弾圧にも負けず

　国軍は不服従運動の展開に焦りを見せ、抵抗する国民を敵とみなし、封じ込めをはかっている。クーデターから半年弱で九〇〇人以上の市民を機関銃やロケット砲まで使って撃ち殺し、六〇〇〇人以上を逮捕、全国各地に設置された国軍の尋問センターでシステム化された拷問を受けた者も数多くおり、拷問死は二〇数名を数えている。国民の中に支持基盤を作ってこなかった国軍だからこそ、このような無慈悲なことができるのだといえる。

報復はこれだけにとどまらない。不服従運動に参加した公務員や教員を15万人以上解雇し、国立病院への出勤を拒否した医師らが自宅で開くクリニックに対し、治療妨害をおこなっている（コロナ禍の悪化のなか、酸素ボンベを奪い取るなど）。解雇された教員が開く私塾も閉鎖され、スパイなどを活用した住民に対する取り締まりも強化されている。それでもZ世代はもとより、国民がクーデターを受け入れる様子は全くなく、目に見えぬ形で抵抗はいまも続けられている。

研究者としての反省と学び

この国の近現代史を四〇年にわたって研究してきた筆者にとって、二月のクーデターはもとより、その後のZ世代を中心とする抵抗、戦争犯罪同様の国軍による弾圧などは、事前に予想することができなかった。そのことの不明を恥じるばかりである。一方で、一連のできごとからさまざまなことを学んだことも事実である。ここでは、そのうちの二つを取り上げたい。

まずは国軍についてである。二〇一一年に実現した民政移管が「軍が監視する議会制民主主義」にすぎないことはよく理解していたが、一六年にアウンサンスーチー国家顧問体制が成立したことによって、現行憲法さえ維持されれば国軍は彼女の政権を許容するものと解釈するに至った。しかし、今回のクーデターでそれが大きな誤解だということが判明した。国軍は文民統制そのものを嫌っていたのである。民主主義の強化を目指す政治家や政党、それを支持する国民を許さないという姿勢が明らかになった。だからこそ、国軍はアウンサンスーチー氏とNLDを参加させない総選挙やり直しを画策して、現行憲法を維持したままクーデターに走ったのである。「国軍の正体（今度こそ）見たり」というのが第一の学びである。

次にZ世代の政治性である。「他人事」だった政治を、彼らはクーデターを経験することによって「自分事」として捉えなおし、「アウンサンスーチー氏おまかせ」から卒業して、自分たちの力で未来のビルマをつくるべく立ち上がった。

彼らの抵抗はクーデター政権に対抗する国民統一政府（NUG）を生みだすエネルギーとなり、いまや運動は「元の状態に戻す」のではなく、どんなに時間がかかっても、真に民主的で少数民族の公正な参加が保障される「フェデラル民主主義」に基づく新しい連邦国家の創成という方向に向かっている。現在の国軍を解体し、かわって国民を守る「連邦軍」の創設も目指している。

彼らのこうした未来志向の抵抗から、筆者は「政治が自分事として理解されたとき、人は初めて政治への関心を本格的に深める」ということをあらためて学んだ。これはかつての香港の雨傘運動（二〇一四年）のときにも思ったことである。このことはまた、毎回の選挙で投票率が極端に低い日本のZ世代に政治参加を促す方法を考える際にも、重要なヒントになるだろう。私が教える大学の学生たちにも、ビルマZ世代の未来志向の政治姿勢を積極的に紹介したいと思う。

（二〇二一年九月執筆）

「絶望」的状況の中の「希望」——ビルマの国軍クーデターと国民の抵抗

ビルマの軍事クーデター（二〇二一年二月）から一一カ月がたつ。アウンサンスーチー国家顧問が率いるNLD（国民民主連盟）政権が倒され、かつて同国が長期に経験した軍事力だけで人々を統治する支配に先祖返りした。

現行憲法は旧軍政期の二〇〇八年に国軍主導で制定され、シヴィリアン・コントロール（文民統治）に制約を課し、国軍の特権を十分に保障している。二〇一一年の「民政」移管以降、経済成長も順調に進んでいた。にもかかわらず国軍はこのような行動に走った。その最大の目的は、国軍が長期にわたって嫌ってきたアウンサンスーチー国家顧問を政界から追放し、彼女が率いる与党NLD（国民民主連盟）を解党に追い込むことにあった。そのため、自作の憲法の中に含めておいた「合法クーデター条項」を活用し、政権を奪取したのである。

この条項は「大統領が非常事態を宣言したら国軍総司令官に2年間を限度に全権を委譲することができる」というものである。NLD政権の大統領がそのようなことを自らするはずはないので、実質的に「死文化した」条項だと多くの人々は楽観視していた。しかし、国軍は二〇二一年二月一日未明に大統領を逮捕すると、軍出身の第一副大統領に大統領権限が移ったと強弁し、その彼に非常事態宣言を出させた。

「絶望」の日々

その後のビルマは「絶望」の中にある。国軍総司令官ミンアウンフライン率いるクーデター政権は、国民が展開した大規模な市民不服従運動（ＣＤＭ）を重機関銃やロケット砲まで用いて封じ込め、その結果、一三二五人の市民を殺害し、七九一六人が逮捕されている（二〇二一年一二月一〇日現在。ビルマ政治囚支援協会ＡＡＰＰ発表に基づく）。

悪名高い国軍の尋問センターで拷問を加えられた者も多く、不審死がいくつも確認されている。自宅にいた女子高校生が狙撃兵に両脚を撃たれ出血多量で命を失ったほか、一〇歳にも満たない子どもたちも複数犠牲になっている。市民が武装して抵抗した地域においては、報復攻撃が付近の村々におよび、山岳地帯のチン州タンタランでは住居や商店が町ごと燃やされ、同州ミンダッでも多くの市民が国軍の攻撃によって殺害された。多数の人々が町や村を離れ国内避難民となって苦しんでいる。

不服従運動に参加した公務員や教員は一五万人以上が解雇され、国立病院への出勤を拒否した医師らが自宅で開くクリニックに対しては治療妨害がおこなわれた。解雇された教員が開く私塾も閉鎖され、スパイなどを活用した住民に対する取り締まりも強化されている。この間、新型コロナ・ウィルスが爆発的に蔓延するなか、クーデター政権は対策をとらないどころか、市民が酸素ボンベを入手できないようにしたため、政府発表の10倍以上の人々が命を落としたとみなされている。必然的に経済状況も極度に悪化し、二〇二一年度の経済成長はマイナス一八％に達するといわれている（世銀報告）。

ビルマの一連の事態に対し、国際社会は一致した関与ができず、仲裁を目的とした外交は全く機能していない。国連安保理をはじめ、日本を含むＧ７（先進民主主義国家）やＥＵ（欧州連合）も成果を出すことができず、ビルマがメンバーの一員であるＡＳＥＡＮ（東南アジア諸国連合）に事態の解決を丸投げしている現状にある。そのＡＳＥＡＮも仲裁の労をとる意志は強いものの、国軍が頑なな態度を変えないため対応に苦慮している。

外交による仲裁が機能しないのであれば、制裁という手段をとる必要がある。しかし、国連安保理は中国とロシアの反対で制裁を実質あきらめた状態にあり、米国、英国、カナダ、ＥＵ、豪州などは国軍幹部と国軍関連企業に限定した標的制裁を実施しているが、日本は新規ＯＤＡ停止程度の行動しか起こせていない。これではクーデター政権の対応を変えさせることはかなわない。ビルマ国民は「国際社会は私たちを見捨てている」と受け止めるに至っている。

「希望」の灯

とはいえ、かすかな「希望」の灯が見えないわけではない。ビルマの人口の二五％を占めるZ世代を中心とする不屈の抵抗がそれである。Z世代とは世界各国で十代後半から二十代までの若い人々を漠然と指す言葉だが、クーデターのあと、長期に不服従運動（CDM）を展開した中心はこの世代の若者たちだった。まさにビルマの未来を担う中心である。彼らのなかでも、都市部に住む大学生や大卒の男女が不服従運動の核心を担い、職業的には医師や看護師、公務員や教員、外資系企業の従業員らが目立った。

クーデターから一か月ほどしてZ世代に属する一女性がSNSに流した「国軍は手を出してはいけない世代に干渉し、彼らを本気で怒らせてしまった」という文面が印象的である。その自信に満ちた発言は今も色あせて見えない。

彼らは元来、政治的な世代ではなかった。一九八八年の民主化運動に参加した両親世代（X世代）から見れば、自分のことばかりを優先する若者に映っていた。長い軍政を経て、二〇一一年から同国で始まった「民政」移管は、国軍がいくつもの権限を握る擬似的な議会制民主主義体制に過ぎなかったが、かつて二六年間続いたビルマ式社会主義期の閉鎖体制や、一九八八年から「力の支配」が貫かれた二三年間の軍事政権期と比べれば、大幅な自由が実現した。人々は一定の社会的自由と経済発展の恩恵を享受し、とりわけZ世代にその影響が色濃くあらわれ、彼らは職業的な成功を夢見て自己研鑽を重ね、フェイスブックなどのSNSを通じた情報のやり取りを日常的におこない、横のつながりを広げてきた。

その彼らがクーデター後、一斉に立ち上がり、各地で集会やデモを続け、数百万人が参加する不定期のゼネストまでやってのける政治行動をとるようになった。Z世代にとって政治とはクーデター前まではNLDとアウンサンスーチー氏に任せておけばよいものにすぎなかったが、それが突然のクーデターで全てを国軍によって強制終了させられ、銃を突き付けられることによって自由を奪われた。彼らはこのとき初めて、政治とは自分たちの生活と密接につながる重要な事柄であり、自分たちが関与すべきなのだということに気づく。それまで「他人事」だった政治を「自分事」として捉えなおし、自分たちの力で未来のミャンマーをつくるべく立ち上がった。それが市民不服従運動だったのである。

この背景にはアウンサンスーチー氏の思想の影響がみられる。彼女は「不当な命令と権力には義務として従うな」という非協力運動の主張を、一九八八年の民主化運動に加わったころから訴え続けてきた。その彼女はいま、国軍によって拘束され、無実の罪を着せられて国民との接点を失っているが、国民はZ世代を中心に彼女のこの言葉に従っているように映る。不服従運動はデモや集会だけにとどまらず、出勤拒否をはじめ、起き上がりこぼし（達磨）を大量に道路において通行不能にするなど、経済全体の麻痺をねらった。それはZ世代を超えて国民の多くに広がり、商店では国軍系企業の商品の撤去や消費者による不買運動が展開された。

国軍は文民統制そのものを嫌い、民主主義の強化を目指す政治家や政党、それを支持する国民を許さないという姿勢を有している。だからこそアウンサンスーチー氏とNLD抜きの総選挙のやり直しを画策し、現行憲法を維持したままクーデターに走ったのだといえる。しかし、Z世代からはじまった国民の不服従運動は、クーデター政権に対抗する国民統一政府（NUG）を生みだすエネルギーとなり、いまやその運動はビルマをクーデター前の「元の状態に戻す」のではなく、真に民主的で少数民族の公正な参加が保障される「フェデラル民主主義」を実現させ、新しい連邦国家を創りだすという方向に向かっている。国軍を解体し、かわって国民を守る「連邦軍」の創設も目指している。

こうした未来志向の抵抗は、ビルマが「絶望」のなかにありながらも「希望」の灯を見せはじめていることの証であるともみなせる。その灯を消させないためにも、私たちはできる限りビルマで生きる市民の立場に立った支援を実施すべきであろう。

（二〇二二年一月執筆）

ミャンマー（ビルマ）と香港の民主化運動——その共通点と相違点を明らかにする

＊本対談では国名についてビルマではなくミャンマーを使用。

〈対談〉　倉田徹（立教大学教授）×根本敬（上智大学教授）

二〇二一年八月七日、第一八八回アジアンフォーラム「ミャンマー（ビルマ）と香港——アジアのデモクラシーに未来はあるか」が国際基督教大学アジア文化研究所の主催で開催された。登壇者は、それぞれがミャンマーと香港の専門家である根本敬氏と倉田徹氏。本稿はその採録である。（須藤巧・図書新聞編集長）

若者の変化の速さ

倉田　ミャンマーと香港で民主化運動と呼べるものが起こっています。共通点と相違点がいくつかあると思います。まず、重要な共通点は、いずれの抗議活動も「予想外」のかたちで始まったことだと思います。香港の場合、逃亡犯条例の改正がこれほど大きな問題に発展するとは、私は予想していませんでした。ミャンマーも、クーデター以降よく言われたのは、ここまでミャンマーの人々が抵抗運動をするとは思っていなかったと。そうなると、研究者としては、「これは何かを見落としてしまったのではないか」と反省せざるをえません。

根本　同感です。軍が圧倒的に有利な憲法を持っているにもかかわらず、合法クーデタ条項（大統領が非常事態を宣言すれば国軍総司令官に全権が委譲される）を使って、この時期にクーデタを行うとはまったく予想していませんでした。さらに、「Z世代（主に一九九〇年代後半以降に生まれた世代）」を中心とした若い人たちがここまで長期的に、様々な方法を使って粘り強く抵抗することもまったく考えていませんでした。私のミャンマーを見る目がぼやけていたと言わざるをえません。これまで認められていた自由や権利が、香港では数年かけて奪われてしまいましたが、ミャンマーでは一晩で奪われてしまい、不自由な状況に一気に転じたことへの反発があったわけです。とりわけ都市部に住む中産階級のZ世代は自分たちの人生設計を持っていたので、突然のクーデタによって「自分の人生がダメになる」という危機意識を持ち、それを機に政治が他人事でなくなり、自分事として認識するようになったのだと思います。香港でも、政治を自分事として捉えていかないと、自分たちの未来がダメになるという意識が若い人々のあいだであったと言えませんか？

倉田　そうですね。やはり「若者」がキーワードだと思います。香港の場合はもっと大きな節目として一九九七年の返還があります。香港では「Z世代」という言葉はさほど使われていないようですが、とはいえ香港でも抗議活動の中心になっているのはぴったりその世代、返還後に生まれた世代です。その世代が注目されたのは今回が初めてではありません。二〇一四年の雨傘運動、さらにその前の二〇一二年の反国民教育運動あたりから注目されるようになりました。驚くのは、若い人の変化の速さです。私にとっては雨傘運動は昨日のことのようですが、二〇一九年の運動に参加した若い層は、雨傘運動よりも単純に数えて五歳若いわけですね。その人たちは、五年前にお兄さんお姉さんたちが雨傘運動で失敗したので、その思いを引き継いでいるという面もあります。雨傘運動ももう古くなっている。

中国だと、中産階級の若い人たちは保守化しているといわれます。物質的利益を追求し、政治関心が退潮し、現状追認型だと。ミャンマーの都市部の中産階級のZ世代の人たちは、そうではないということですか?

根本　ここ十年ほど、保守化していると私は思い込んでいました。例えばミャンマーから日本に来た若い大学生と話をしていると、政治を自分事と考えているとはとても思えませんでした。ミャンマーの場合、基本的にアウンサンスーチーさん任せです。政治は、彼女と彼女の政党であるNLD（国民民主連盟）に任せておけばいい、軍は彼女とNLDをいじめるけれども、国民がしっかり両者を支えればよいのだ、というような雰囲気がありました。ですから、数年前にロヒンギャ問題が起きても、ミャンマーのZ世代はスーチーさんに一任する見方をしていました。しかし、皮肉なことですが、今回の軍事クーデタによって、スーチーさんへの個人崇拝を卒業せざるをえなくなった。これが大きかったと思います。ワンランク上の民主化運動にステップアップしたともいえます。そもそも個人崇拝はスーチーさん自身が嫌がっていました。国軍を解体して自分たちで国家と軍をつくり直さないといけないと認識するようになったいま、理想に燃えてエネルギーをその方向へ全面的に使っているのだと言えましょう。

倉田　Z世代にとってスーチーさんはどういう位置づけになりますか。香港の場合、まず雨傘運動の失敗がありました。民主化を求めたけれど、実現することができなかった。その後に広がったのが、雨傘運動の指導者に対する非常に冷笑的な態度でした。日本ではジョシュア・ウォンさんやアグネス・チョウさんが有名になりましたが、彼らが若い世代から一時的に嫌われることもありました。しかし二〇一九年になると急に変わって、また受け入れられるようになったということもありました。

根本　香港にはスーチーさんにあたる人がいませんでしたよね。ミャンマーは一九八八年の民主化運動以来、アウンサンスーチー氏がカリスマ的指導者として国民から慕われ、支持されています。しかしそれは個人崇拝の色彩が強かったと言えます。スーチーさんの時代になればすべてがよくなる、国軍が邪魔をしているけれど彼女はそれを変えてくれるというような、信仰に近いものがありました。現在、国民はスーチーさんとの接触が絶たれていますから、国を変革する闘いは自分たちですべてをやっていくしかありません。しかし、彼女への感謝の思いは強く持っています。いまだに彼女が「精神的な」存在であることは間違いありません。

倉田　スーチーさんの思想のなかにある「不服従の義務」や「戦術としての非暴力」といった発想は、現在の人たちにとってはすでに血となり肉となって、幅広く浸透しているということでしょうか?

根本　一九八八年の民主化運動世代から伝えられた情報やＤＮＡのようなものは現在も間違いなくあります。しかしZ世代の人たちは、自分たちの「いま」の現実から戦術をつくり出していると思います。スーチーさんの言っていた義務としての不服従は、八八年の民主化運動世代は徹底できませんでしたが、Z世代は成功させています。ただ、戦術としての非暴力については、場合によっては「戦術としての暴力」も可であると彼らはみなしています。スーチーさんの過去の発言をふりかえってみても、非暴力はあくまでも戦術であって、どのような状況においても絶対に貫かなければならない主義だとは言っていません。Z世代はその影響を受けているのかもしれません。彼らは状況が変化したことによって、武器を持って戦う戦術を採用しつつあります。

倉田　ミャンマーではかなりコントロールされた独裁体制が数十年続いてきましたね。ネット上で若者がデモを起こすような「空間」が残っているとは、あまり想像できませんでした。通信の手段やアプリは具体的にどういう新しいものがあったのでしょうか?　香港の場合は、「テレグラム」というロシア製の匿名通信アプリが大きな役割を果たしました。

根本　ミャンマーの場合は圧倒的にフェイスブックで、普及したのは二〇一一年の民政移管以降です。それ以前は固定電話の普及率は二〇%程度でしたし、携帯電話に至ってはほんの数%でした。しかし二〇一一年以降の十年間で、少なくとも都市の住民はほぼ全員が携帯電話を持つようになり、農村部にも普及し、一人で複数台持つ人も出てきました。軍が遮断するまでは、フェイスブックはまさにヨコにつながるための武器でした。

元々、ミャンマーは「クチコミ」の世界です。茶店で政府批判もしましたし、ガセネタを含む噂話もしていました。国家が本当のニュースを流さなくても、国民は茶店で何が起きているかについて自由に話すという基盤がありました。いまはＳＮＳがそれに取って代わっているわけです。

倉田　大変興味深いです。私もテレグラムというアプリを「大飲茶大会だ」と形容したことがあります。香港人もテーブルを囲んでお茶を飲みながらみんなで議論をすることが文化としてあります。人々の間のコミュニケーションのネットワークがある。やはり信憑性の低い情報も相当混じっていますが、しかしそれがメディアも含めて飛び交っている。とにかくヨコで情報を融通し合い、みんなが主役になって考える既存の文化伝統が、もしかしたらSNSと親和性があったのかもしれません。

社会の力と教育の影響

根本　私も同感です。ところで、倉田さんにお聞きしたいことがあります。長年、ミャンマーの人たちと関わってきて、ミャンマーでは「社会」が強いと感じます。そして意外と「国家」が弱い。「国家」が弱いからこそ軍に乗っ取られてしまう。軍は力づくで「国家」を統治しようとする。しかし、「社会」は一つのまとまりを持っていて、「国家」が何かを押しつけてきても、時にはそれを押し返すだけの力を持っている。その秘訣の一つが、クチコミやSNSによる情報交換なのではないかと思うのです。一方で香港の場合は、中華人民共和国という強い「国家」があるわけですが、香港の「社会」の力はどうなっていますでしょうか。

倉田　香港は元々、圧倒的に社会の力が強いです。香港に民主的な体制もしくは「国家」が出現したことはありません。かつては植民地で、現在は中国の特別行政区で、独立国になったことがありません。「上」に常に強力な政権がいました。しかし、イギリスや中国といった勢力は、お互いに牽制し合っていました。つまりイギリスが香港を支配していても、あまりにも強権的な統治をすれば中国からクレームが入りました。香港には共産党の支持者もいれば国民党の支持者もいます。冷戦の時代にはアメリカの目もありました。そのなかで香港政庁の権力は「金縛り」のような状況にありました。外からの干渉が怖いので、政府は社会に対して何も手出しできない。そんななかで、社会のほうは、自分たちの力で何もかもをまわす状態をつくっていきます。香港の人たちは、そうした政府から干渉されない状態を「自由」だと称してきたと思います。ところがいま、中国政府は社会も統制する一元的な統治を志向しています。今後の香港は大きく変わってしまうのではないかと危惧しています。

根本　教育の影響はどうでしょうか。ミャンマーの場合、歴史教育を通じて、イギリスからの独立運動と、三年半の日本占領期の末期に展開された抗日闘争を必ず教えます。特に前者で強調されるのは、当時の植民地下の学生たちの政治運動です。イギリスがつくったラングーン大学（ヤンゴン大学）が学生運動の一つの温床となって、そこからスーチーさんのお父さんのアウンサン将軍を含め、多くのナショナリスト指導者が生まれました。独立後の若者は、学校の教科書を通じてそれを必ず習うわけです。すると、自分の国の現状がおかしくなった場合、「学生が先頭をきって異議を唱えるのがわが国の伝統なんだ」とか、「学生には異議を唱える使命や責任があるんだ」とか、「学生であることの自由を生かさなければならない」などといった発想が、特に優秀な学生層から自然に生じたのではないかと思います。一九八八年の民主化運動は、間違いなく学生が始めた運動であり、学生が最大の犠牲を蒙った運動です。今回のZ世代の抵抗運動にもやはり学生がかなり入っています。

倉田　非常に重要な論点です。ミャンマーの場合は、政権にとってナショナリズムは両刃の剣ですね。そこを強調すると、おかしな統治が批判されることになってしまう。イギリス時代の香港政庁はある意味で狡猾でした。そこを理解していたがゆえに、「脱政治化の政治」を行っていました。例えば香港では歴史教育はあまりにセンシティブなので、教えません。アヘン戦争から先のことは、香港の学校では長いこと教える範囲に入っていませんでした。今回の運動が起きた理由は、逆説的ですが、愛国教育を強化したからだ、と言う一部の学者もいます。根本さんの論点とかなり近いです。やたらと中国共産党を美化した学校教育が強まってくると、人々は現実とのあまりのギャップを知ってしまって、疑問を持つようになると。

もう一つ、香港の学校教育で重要なのは「リベラル・スタディーズ」という科目でした。返還後、二〇〇九年から高校生を対象に必修で導入されました。これには指定の教材がありません。教師が新聞記事などの何らかの素材を持ってきて、社会問題などについて学生たちに自由に議論をさせる。最終的に、ある問題についての賛否を、自分なりに論理的にまとめなければいけない。これがいま、政権からは「犯人」扱いされています。この科目で政府批判の情報に若い人たちがあまりに触れた結果が、彼らの反政府運動や過激化を生んだということで、二〇二一年九月からこの科目は廃止されていくことになりました。詰め込み教育に戻っていくようです。ミャンマーでは暗記教育が問題だと根本さんは力説なさっていますが、香港と比べると状況がだいぶ違うなと思いました。むしろ詰め込みではない教育をやった結果、香港では抵抗運動になったわけです。しかし、二〇一〇年代にはミャンマーの教育も少し変化していたのですね。

根本　そうですね。この十年、日本のODA（政府開発援助）のサポートによって、JICA（独立行政法人国際協力機構）などがミャンマーの小学校の教科書の改訂作業に関わっていました。考えさせる教育に切り替えていく動きは広がりましたが、その影響は都市部の中産階級に限定的に及んでいると言えます。大きな変化としては、二〇一一年以降、私立学校の開設が認められるようになったことです。ディスカッションなどに重点を置いた教育がなされ、そこで自由な議論、自由な発想に触れた人たちは、今回の抵抗運動にも貢献しているように思います。それから、通っている学校が公立でたとえ詰め込み教育であったとしても、セカンドスクールで別な学校に通えます。SNSで多くの人とつながれる状況もあり、そこで期せずしてミャンマーの人たちが自由な議論をすることに慣れていった面もあると思います。

倉田　教育も一つの重要な要素となり、若い人たちに新しい価値観が生まれてきたということでしょう。

それでもまだ「希望」はあるのか

倉田　女性というキーワードを出したいと思います。香港でもミャンマーでも女性の動きが目立っています。これについては、日本にいると恥ずかしいことばかりです。香港は行政長官も女性です。香港は女性の社会進出では先進的な場所です。日本人が「キャリー・ラムが香港で初めての女性行政長官だ」とやたらと騒ぐから、「ああ、そういえば」と香港人が気づいたぐらいだと、ある香港の友人に言われたことがあります。それくらい、男性か女性かということは香港では気にしないし、問題にならない。性別に関係なく仕事をするんだと。スーチーさんは既に三〇年以上、民主化運動を牽引してきていますが、ミャンマーでは女性がリーダーになることは当たり前ですか？　それとも異例なことなのでしょうか？

根本　女性が政治のトップに立つのはミャンマーでは異例です。ではスーチーさんはなぜ三〇年以上も民主化運動のリーダーでいられるのか。それはアウンサン将軍の娘だという事実が非常に大きく影響しています。アウンサン将軍はビルマ独立運動の後半期の指導者ですが、独立の直前（一九四七年七月）に暗殺されてしまい、「悲劇のヒーロー」になりました。神格化されている部分もあります。歴史教育を通じて、アウンサン将軍の偉業をみんな教わります。その娘だということが非常に有利なかたちで作用しました。しかし同時に、スーチーさんは長期にわたってイギリスにいましたので、欧米流の人権理解、民主主義理解を、わかりやすいビルマ語で庶民に語りかけることに長けていました。一躍、人々の支持を得ます。また、彼女の精神的な強さも人々の心をつかみました。スーチーさんは、ビルマの一般庶民から見て「母親」というイメージです。「お母さんスー」という親しみを込めた言い方がビルマ語にあります。母親というイメージですから、「女性が政治のトップに立つなんてけしからん」という話にはなりにくいわけです。

ミャンマーでは、政治の世界と軍を除いて女性の社会進出は活発です。公務員の中級および上級管理職や、大学も含めた教員に女性は大変多いです。大学進学率も女性のほうが高いですし、大学の医学部も男女半々か、少し女性が多いくらいです。そういう社会になっている一つの理由は、日本や中国や朝鮮半島と違っていわゆる家父長制の残滓がないからです。そもそも「イエ（制度）」というものがないため、一部の少数民族を除いて名字（姓）がありません。双系制といって、父方とも母方とも自分の好みで付き合うことができ、「父方のあの親戚とは付き合うけど、母方のあの親戚は嫌いだ」などと、個人が自由に選んでも何の問題も生じません。ちなみに、アウンサンスーチーさんは「アウンサン家のスーチーさん」ではなく、「アウンサンスーチー」で一続きの名前です。姓がないので、結婚するときにどちらかが名字を変えなければいけないという問題も起こりません。また、王朝時代から財産の均分相続がありました。長男だろうが末娘だろうが、財産は均等に分与されます。長男が家督を継ぐというような発想とは縁がありません。

しかし一方で、勘違いしてはならないのは、ミャンマーで自由に活動している女性は中産階級から上の人が多いということです。多くの場合、その人たちの家には「お手伝いさん」がいます。女性が社会で専門的な仕事を持ち、出世して多忙になっても、家には家事全般を担うお手伝いさんがいる。お手伝いさんをする女性は、学校に行くチャンスに恵まれなかったり、貧しい層に属していたりします。

倉田　スーチーさんが訴えている思想には、香港にも似たようなものがありますが、しかし香港より「一歩前」に行っているものもあると思います。一つは、先にも言及した「不服従の義務」です。「市民不服従」については、香港でも運動にしっかり根づいた思想ですが、非暴力で抵抗することが「義務だ」とまでは言っていません。あくまでも「法的に裁かれる危険があっても、私はやります」という次元にとどまっています。

もう一つ似ている点は、「恐怖からの自由」です。政権からの弾圧や不当な扱いを受ける恐怖がない状態、つまりは民主主義がきちんと機能している状態ですが、これを香港の人たちは理想として語ります。ミャンマーの場合は、それとは違うというか、スーチーさんは政権が暴力を振るってきても怖がらないことを「恐怖からの自由」と言っているそうですね。撃たれても殴られても動じないということでしょうか。これはものすごいことだなと思うと同時に、常人にそれがどこまでできるのかなという気もします。

根本　もちろんミャンマーの人たちも普通の人間ですから、恐怖心はあります。クーデター後しばらくすると軍の弾圧が強まったために、デモや集会は散発的なものしかやれていません。しかし、「不服従」には様々なやり方があります。「出勤しない」から始まって、出勤しても仕事の量を勝手に減らすとかですね。当然、安易に殺されたくないので、その後は戦術として武装することを考える人も出てきているわけです。

アウンサンスーチー氏が「義務としての不服従」を言い始めて三十数年がたちましたが、Z世代がいまになってそれを実行しています。しかし、その弊害もあります。当然ながら、「義務としての不服従」を実行しない人もいます。その人たちが仲間外れにされるだけでなく、非難され、そこに亀裂が生まれることになります。積極的に不服従を実行する人もいれば、黙っている人もいるし、消極的であれクーデタ政権に従う人もいるわけです。こうした亀裂が深まることを防がないと、広がりを持った不服従が長く続くということにはなりにくいかもしれません。

倉田　政権に圧力を加える方法は様々ですが、どうしても路線対立が起きがちです。香港では雨傘運動のときにそれが特に顕著になりました。平和路線と「勇武派」（急進的な路線）の対立がありました。元々は非暴力不服従の運動でした。道路を占拠して、そこに座り込んで政府に圧力をかけるというところから雨傘運動はスタートしました。政府が何も応じないとなると、「もっと過激にやらないといけない」と言い始める人と、「いや、過激なことをやったら支持を喪う」と言う人との間で対立が生じ、仲間割れになって、最後は共倒れになってしまいました。しかし二〇一九年にはそれを彼らは相当程度克服した面があります。そのときのキーワードが「兄弟爬山　各自努力」で、「同じ山を登る兄弟同士、それぞれで頑張ろう」という意味です。平和路線も暴力路線も政府に圧力をかけるという共通の目的を持っているのだから、それぞれのやり方でやろう、少なくともお互いを批判しないようにしようということです。ミャンマーはどうですか?

根本　もしいまアウンサンスーチー氏が自由の身であったとしても、自主的な判断に基づいて武装抵抗している国民防衛隊（PDF）の人々を非難することはないと思います。ただ、ミャンマーの場合、もっと深刻なのは少数民族問題です。ミャンマーの対抗政府である国民統一政府（NUG）は、少数民族との関係を非常に重視して、閣僚名簿のなかにも少数民族の大臣や副大臣をたくさん入れています。しかしそれでもNUGを信頼しない少数民族組織はありますし、またロヒンギャ問題という喉に刺さった棘がこの国にはあります。NUGの閣僚たちはロヒンギャに対して、自分たちがこれまで排斥してきたことを謝罪しました。Z世代の多くもロヒンギャの人たちに対して申し訳ないという気持ちを持つようにはなりましたが、差別意識はそう簡単に消えるものではありません。ロヒンギャはNUGの閣僚名簿には入っていません。NUGを支えている多数の国民の、ロヒンギャに対する偏見がまだ強いので、NUGも「ロヒンギャの人々を全面的に支える」とはまだ断言しにくい面があります。多数派のビルマ民族とロヒンギャも含めた少数民族がまとまって、共通の敵である国軍と闘うというところまでどうやったら持っていけるのかは、まだまだ考えないといけないことが多くあります。

倉田　少数民族も含めた国民統合というか、「みんなで闘おう」という発想を支える思想や論理が広がっているということはあるでしょうか？　というのは、香港も、ミャンマーほどではないですが多民族社会です。そのなかで南アジア系の人々は差別対象であったりしました。しかし、運動の過程で多くの若者たちが、「香港人」の定義は、血統の民族ではなくて、共に強権に対抗して、香港の自由と民主という価値観を守る意識があればその人はみんな香港人だ、と言い始めました。つまり西洋人でも日本人でも、「香港人」になりうるわけです。

根本　ミャンマーはまだそこまでは行っていませんね。ミャンマーは国籍法によって「土着民族」が国民だと定義されています。土着民族とは、何と、一八二三年以前から継続的に現在のミャンマー連邦域内に住んでいる民族の末裔のことです。一回目のイギリスによる侵略戦争が一八二四年に始まりましたが、その前から住んでいる民族の末裔のみが「本物のミャンマー人」だということです。その人たちには自動的に国籍を与える。現在、政府の分類によれば一三五の土着民族がいます。NUGはこの一三五の民族を公平・公正に扱うという点ははっきりしています。しかし土着民族ではない人、例えば中国やインドの血が混じっている人、ロヒンギャはどうするのかという議論に関しては、国民レベルでまだまとまっていません。土着民族という「神話」に、国家も軍も国民も縛られています。

倉田　中国政府がナショナリズムを動員する場合、いまでも考えなしに「黄色い肌に黒い瞳」といったりします。ナショナリズムと民主化運動には調和もあれば不調和もある。

根本　人種差別は、肌の色や、「喋っている言葉がおかしい」といった偏見に由来するわけですよね。一九九〇年代の軍事政権の高官の発言に、「ロヒンギャはミャンマー人ではない。なぜなら彼らは肌が黒いから」というものがあります。皮膚の色を持ち出すのは人種差別以外のなにものでもありません。

さて、最初に倉田さんが、ミャンマーと香港の類似点と相違点という話をなさいましたが、私なりに意見をまとめてみます。類似点は、認められていた自由と権利を急に奪われ、それに対する大きな反発と抵抗運動が起きたことです。ミャンマーの場合は、軍がつくり上げた中途半端な議会制民主主義で、「上からの民主化」でした。ところが、「上からの」力に身を任せているとロクなことが起きない。だから元に戻すのではなく、最初からつくり変えるのだという運動になりました。相違点は、ミャンマーの場合は自分たちを殺す国軍という存在があります。

香港の場合はそれに当たるのが中華人民共和国の存在でしょうか。もう一つ、私は「絶望のなかに希望を見出す」という言い方をよくするのですが、それには理由があります。ミャンマーの状況は絶望的ですが、対抗政府であるNUGという希望があります。まだ「オンライン政権」ですが、国連には議席を既に持っています（チョーモオトゥン国連ミャンマー代表部大使）。国際社会はNUGと付き合っていかざるをえない。そうした対抗政府が少数民族問題などについては国軍よりもよほど前向きな態度をとっているし、アウンサンスーチー氏とも精神的なつながりを持っています。香港の場合はそれに当たるものがあるのでしょうか。

倉田　香港の今後の展望を託せるような存在は現状ではほぼないでしょうね。軍についてですが、一つは天安門事件の記憶があると思います。当時、香港の人たちは怒りを感じましたが、同時に恐怖も植えつけられました。特に上の世代の人たちには恐怖の感覚が強いです。もう一つ、二〇一九年以降は、「平和なデモに対してなぜ力で対峙してくるのか」という警察に対する怒りが強力にあると思います。香港に今後まだ何かあるとしたら、そうした怒りがまだ残っているということしかないのではないかと思います。現状、表面的には運動が何もないように見える部分もありますが、世論調査などを見ると、政府が支持や正当性を回復したとはまったく言えません。人々の間に不満や怒りが相当あるということだと思います。

その点で、ミャンマーと香港の一つの違いは、クーデタと抗議活動の順序だと思います。香港ではクーデタは起きていないわけですが、今回の選挙制度の変更と国安法の成立は「合法クーデタ」に近いものだと思います。政権側が、自分たちの権力が奪われそうになったので奪い返すというか、その予防のためにルールをすべて根底から変えるようなシステムをつくった。それを導いたのが抗議活動でした。一方ミャンマーではある日突然クーデタが起きて、その後に非常に粘り強い抵抗運動が起きている。希望だと思うのは、クーデタが起きてもミャンマーの人はここまで闘うんだということです。香港の人々も、いまは何もしていないように見えても、このまま何もしないで終わるわけではないでしょう。

（二〇二一年一〇月）

隣人《となりびと》としての在日ビルマ難民

はじめに

聖書に登場する「善きサマリア人」は、自分とは部族も言葉も異なる赤の他人にすぎない旅人を、その人が強盗に襲われて「困っているから」という理由だけで助けている。「目の前に困っている人がいれば、その人が隣人《となりびと》である」というイエスのメッセージは、単純でわかりやすい。しかし、いろいろな理屈をつけて私たちは目の前の「困っている人」から遠ざかろうとする。いや、「困っている」かどうか、きちんと見つめようとすらしていないかもしれない。

日本には二〇一三年現在、数千人の難民および難民性を帯びたビルマ人が住んでいる。たとえば、東京の高田馬場に行くと、数々のビルマやビルマの少数民族の料理店をみかける。彼らはここ数年のあいだに日本へやって来た人々ではない。多くは一九九〇年代に来日しており、中には一九八〇年代後半から住んでいる人もいる。いまや私たちの隣人となっているはずのビルマ難民なのだが、彼らのことを知る日本人は残念ながらそう多くない。なぜ彼らは日本にやって来たのか。どのような問題を抱えながら住んでいるのか。将来どうなっていくのか。「隣人としての」ビルマ難民のことを考えてみることにしたい。

祖国は良い方向へ変化しているか

ビルマといえば、二〇一一年以降、良い方向に向かって変化しているというニュースが目につく。確かにここ二年ばかりの流れを見る限り、この国は大きな変化の渦中にあり、その方向は民主化へ向いているといっても必ずしも間違いではない。二〇一三年四月、ビルマの民主化指導者アウンサンスーチー氏が二七年ぶりに来日した（というより来日できた）ことが象徴するように、長らく軍事政権による抑圧が続いたこの国も、二〇一一年三月から民政に転じ、政治囚の解放や検閲の廃止、経済改革をおこない、自宅軟禁で一五年にもわたって活動を封じ込めていたアウンサンスーチーを解放して行動の自由を認めるなど、前向きの改革をつづけている。

しかし、冷静に見ると、この国が本質的な部分において民主化に向かっているとはまだいえない。この国の現行憲法が軍の特権や、軍による国家統治への介入を保障しているからである。それを変えない限り、いま起きている変化は軍人が取り囲む「小さな土俵」の中で展開される中途半端なものにとどまるだろう。軍が立法と行政へ介入することができないように憲法を改正してはじめて、この国の民主化は本格化する。アウンサンスーチーも憲法改正を大きな目標に政治活動を続けている。

なぜ日本に来たのか

(1) 元学生活動家の場合

ビルマから難民が日本へ来た理由は、この国の軍が強すぎる事情と深いかかわりがある。話は一九八八年までさかのぼる。この年、ビルマでは民主化と人権の確立を求める全土的な国民運動が生じた。それまで二六年間、「ビルマ式社会主義」という名称のもとで、軍がつくった政党による一党独裁がおこなわれ、軍出身のネィウィンという人物が全権を握っていた。人々はそれに対し「否」を唱え、民主化を要求したのである。しかし、同年九月、軍は武力で運動を封じ込め、社会主義については破棄したものの、軍が直接国家を統治する軍事政権を発足させた。以後二三年間、この国の人々は軍人たちの「強制と命令」の下に置かれるようになった。

軍が全権を握ったとき、民主化運動の先頭に立って闘っていた大学生たちは、身の危険を感じ、東隣のタイとの国境地帯へ陸伝いで移動し、そこでキャンプを設営して闘争の継続を図った。その数は当初一万人を大きく超えた。半数以上は一年以内に戻ったが、学生たちは全ビルマ学生民主戦線(ABSDF)を結成して、すでに国境地帯で反政府武装闘争を続けていた少数民族のカレン民族同盟(KNU)と組み、攻め込んで来るビルマ国軍(政府軍)との戦闘に従事した。KN

Uはカレン民族のなかのバプティスト派クリスチャンが中心を構成する政治組織で、ビルマ独立以降、自分たちの州の確立と自治を求めて、一貫して中央政府と戦い続けている（現在は停戦中）。

しかし、山の中での反政府闘争は自分たちの身を守るための闘いだけにとどまり、未来への希望を失わせるものとなった。多くの学生たちは国境のキャンプを出てタイの首都バンコクに行き、そこで仕事をしながら、公的機関や国際NGOから支援を受け、第三国へ移住し、ビルマの民主化を求める活動を続ける道を選んだ。出国先は英国、米国、カナダ、オーストラリア、北欧諸国などだった。国連難民高等弁務官事務所（UNHCR）が難民認定を出し、彼らの移住をバックアップすることが多かったが、個人的なツテで移住先をみつける人もたくさんいた。これに加え、ビルマ国内に残った人間でも、政治的迫害の可能性が高まると必死の努力をして海外に脱出した。

こうしたなか、日本にやってきたビルマ人も多くいた。ただ、彼らはUNHCRの難民認定を受けていない場合が多く、入国後に非合法滞在で捕えられ強制出国させられたり、難民申請をしても受け付けてもらえず、不服申し立てをしている間、茨城県の牛久にある収容センターに入れられたりした。たとえUNHCRの難民認定を受けていても、それが自動的に日本政府の難民認定につながることはなく、別個の審査を課せられた。難民認定やそれに準ずる在留特別許可をもらうのには数年かかるのが一般的で、その間は原則として働いてはいけないことになっていたので、官憲にみつからぬよう、ひそかに食べるための仕事に従事する生活を強いられた。それでも難民として認定されない人は裁判闘争に持ち込むが、勝てないことも多かった。日本滞在中にUNHCRの難民認定を受けることのできた人たちは、日本での難民認定をあきらめ、カナダや米国、オーストラリアに移住した。

（2）迫害された少数民族の場合

一方、もうひとつの種類のビルマ難民がいる。中央政府と国軍によって迫害を受け続けてきた少数民族である。特に一九八八年以降、軍事政権によって迫害された少数民族（特にカレン民族とカチン民族）の難民流出が起きる。

ビルマは典型的な多民族国家で、国際的にも長期にわたる少数民族問題の悪化で知られる。独立当初は主要少数民族の自治権を一定程度認めた連邦制を採用したが、一九六二年からは「連邦」の名称を国名に残しつつ、政府による中央集権的な支配に切り替えている。政府は多数派のビルマ民族（バマー）の宗教（上座仏教）と母語（ビルマ語）を基準にした「ビルマ国民」のイメージをつくりあげ、教育や文化政策を通じて国内外に広めてきた。しかし、少数民族の中にはキリスト教徒やムスリムが多く（それぞれビルマ総人口の五％～八％）、彼らは言語もビルマ語が母語ではない民族が大半なので、政府が強制する「ビルマ国民」のイメージへの拒否感が存在した。

これに加え、少数民族が多く住む高原地帯や山岳地帯などの「辺境」には、地下資源やダム開発に向いた河川が豊かに存在し、中国やタイなど隣国との陸上交易ルートとしての価値も高いため、それに目をつけた中央政府が少数民族への支配力を強めようと試み、地元の強い反発を招くことになった。一九六二年に登場したネィウィン政権（ビルマ式社会主義体制）も一九八八年以降の軍事政権も、国軍部隊を展開して少数民族武装勢力に対する大規模で長期的な討伐戦をおこない、そのとき武装勢力だけでなく一般民衆にも甚大な被害を与えた。村の焼き打ちや強制移住、強制徴用に基づく国軍部隊の荷物運びなどである。それらが難民流出の基本的原因をつくることになった。

一九八八年以降、少数民族の難民は前述のビルマ人学生活動家らの国外流出と共に激増した。主にタイ側に出たカレン、カチン、シャン、カレンニーなどの諸民族に加え、西側のアラカン（ラカイン）州からは政府に公認されていないムスリム系の少数民族ロヒンギャがバングラデシュに大量に流出した。このうちタイとビルマの国境地帯には多数の難民キャンプがつくられ、いまでも一〇を超えるキャンプに一一万人を超える人々が生活している。キャンプからは毎年、数万人ずつ第三国定住の形で海外に人が出て行くが、一方でほとんど同じ数の新規難民が入ってくるため、難民の総数はここ十数年、大きく変わっていない。日本に来た少数民族の難民は、これらキャンプから来た人と、個人的なツテを活用して来た人に分けられる。

日本での生活と悩み

さまざまな困難を経て難民認定や在留特別許可を受け、日本に定住するに至ったビルマ難民は、結婚して家族をつくり、日本での安定した定住生活を目指すことになる。その際、よく見かけるパターンは飲食店での仕事を経験したうえで、自分で店を開く例である。東京の少数民族料理を含むビルマ料理店にはそうした事例が多い。ビルマ料理店に限らず、たとえばカチン民族の難民たちは焼き肉店を開業することも少なくない。初期に来日したカチン難民が(たまたまではあるが)焼き肉店で働くことが多かったため、その経験を通じてノウハウを得て、お互い助け合いながら開店するのである。ちなみに、バプティスト派クリスチャンが多いカチン難民とカレン難民は、自分たちの民族語(ないしは英語)で毎日曜日に礼拝を守っている。

来日してすでに一五年から二〇年がたとうとする難民が多くなったなか、重い課題が彼らの前をさえぎっている。それは息子や娘たちとの文化的断絶である。ビルマから国境のキャンプなどを経て日本に来た第一世代の難民と、日本で生まれ育った第二世代の人々との間に生じるアイデンティティ・ギャップといってよい。大人になってから日本にやってきた第一世代にとっての大きな問題は、生活手段の確保や難民としての地位の獲得を別にすれば、何といっても日本語の習得と日本文化への適応だった。政府機関やNGOによる支援が日本語教育に力を入れたのは当然のことである。

しかし、第二世代は地元の保育園や幼稚園に入り、そのあとは小学校、中学校、高校と通い、日本人の友人や先生たちと交わり、いまや大学生や大学院生まで存在する。彼らは家の中でこそビルマ語や少数民族の母語（カチン語など）を使う機会があるが、そのほかはすべて日本語による生活で世界が成り立っている。受験や就職を考えて英語学習にも力を入れる。その結果、家では両親が母語でしゃべっても子どもたちが日本語で答えるという現象が一般化している。子どもたちのほうに日本社会（特に若者社会）への適応力もあり、そのため学校での三者面談などに親が立ち会っても、子どもと先生だけで話をすすめ、親として立つ瀬がない場面に遭遇することにもなりやすい。

親としては子どもにビルマ語を使えるようになってほしいし、さらに少数民族の場合は彼らの母語もきちんと伝えたい気持ちが非常に強い。子どものほうから見れば社会生活で使う日本語と受験で必要な英語は問題ないにしても、在日ビルマ人社会のあいだでしか通用しないビルマ語、それすらも怪しいカチン語などの少数民族言語の4種類を学ばされることは、苦痛であることが多い。小学校までは親の威厳と強制力でビルマ語や少数民族言語の読み書きを学ばせることができても、思春期を迎えれば子どもはいろいろな理由をつけて逃げてしまう。

こうした第一世代と第二世代、そしていずれ登場する第三世代との間の言語ギャップは、アメリカの日系移民や在日コリアンを見るまでもなく、どの国の移民や難民にも共通して生じる現象である。とはいえ、第一世代の難民（移民）から見て、自分たちの言語が子どもや孫に伝わらない現実には寂しいものがあろう。この点に関し、オーストラリアの事例は参考になる。一九七〇年代の初めに白人の移民のみ受け入れる白豪主義を捨て、数十年かけてアジア系の移民と難民を多く受け入れ、多民族共生国家へ大変身を遂げたオーストラリアでは、州によって多少の差はあるが、移民や難民たちの中からコミュニティの世話係を公費で雇用している。彼らが中心となって第一世代には英語教育を、第二世代以降には本来の出身民族の母語を教えるアフター・スクールを開設して、難民や移民らが英語と母語の両方が使えるように、またオーストラリアの文化と第一世代の出身民族の文化それぞれを受け継げるよう、細かい配慮をおこなっている。

移民や難民の受け入れは国家財政を圧迫するという議論があるが、オーストラリアなどの移民受け入れ先進国では、第一世代に対する国費の出費は支出超過になることをもともと覚悟している。第二世代以降の人々が英語と母語の両方を使いながら、国民となって成長し労働力として貢献してもらうことによって、移民・難民受け入れ政策を「黒字」化させるという長期的戦略がある。超高齢化がすすむ日本も、いずれはこういう姿勢をとらざるをえなくなるのではないだろうか。

民主化しても帰れない祖国？

ところで、在日ビルマ難民たちは今、子どもたちとの言語や文化をめぐるギャップに悩むばかりでなく、自分たちの将来についても非常に悩んでいる。限定つきとはいえ祖国が民主化に向かって変化しているなか、帰国すべきか否か判断に迷っているのである。

彼ら第一世代の難民は、日本に来たくて来たのではない。結果的に来たのであり、それも非常に辛い思いをしながら現在の生活基盤を築き上げた。祖国への郷愁は強く、できれば帰りたいと思う一方、日本で築いた基盤を捨てる決心はつきにくい。そして何よりも子どもたちがビルマに帰りたがらない。彼らは日本で生まれ育ち、日本の教育を受け、日本で自己実現をしようと考えている。親の祖国に短期に旅行するのであれば喜んで同行するだろうが、ビルマの学校に転校するとか、ビルマで仕事をみつけなければならないとなれば、そのような選択肢は論外ということになる。そもそもビルマ語が充分にできないのである。

結局、在日ビルマ難民の多くは、いまのところ（二〇一三年現在）日本に残る意思を表明している。ただし積極的にではなく「やむなく」である。子どもが日本の大学を出て自立したら店をたたんで祖国に帰りたいという難民の声を聞く。ただ、それも難しいかもしれない。子どもが自立するころには、第一世代は六〇代を超え、ビルマに戻っても生活の基盤をつくるのがいっそう困難になるからである。結局、日本で生きて行くことになるのではないだろうか。もちろん、短期に祖国へ戻ることはあるだろうが。

こうして見てみると、私たち日本人にとって彼らビルマ難民は、第一世代であれ第二世代以降の若い人々であれ、一緒に日本で住む仲間だということができる。そのとき、彼らが「困っている」のであれば、「善きサマリア人」がごく自然におこなったように、「隣人として」彼らと接したいものである。

「善きサマリア人」はどちらか

実は、在日ビルマ難民のほうが日本人にとって「善きサマリア人」なのかもしれない。二〇一一年三月一一日の東日本大震災の津波被害によって多くの人々が家や命を失った時、東京の在日ビルマ難民はバスをチャーターして被災地に入り、日本人向けに味付けしたビルマ料理をふるまったり、泥だらけになった建物の掃除や荷物運びを手伝ったりしている。時間や経済的な余裕があったから行ったのではない。この支援活動に参加したため、雇用主に嫌われ仕事を失った人もいる。彼らは「自分が住んでいる日本の人々が大変な状態にあるのなら支援に行くのは当然」という気持ちで向かったのである。希望者が多く参加者を制限したほどだという。一方、二〇〇八年五月にビルマのデルタ地帯をサイクロン「ナルギス」が襲い、一四万人が死亡、二四〇万人が家を失って被災者となったとき、在日ビルマ難民は東京の池袋駅の前に立って熱心に義捐金集めをおこなった。しかし、振り向きもせず足早に立ち去る人がほとんどだった。在日ビルマ難民がギブ・アンド・テイクだけで動くのだとしたら、自分たちの祖国の被災に「冷たかった」日本人に対し、東北大震災に際して特に動こうとする気持ちは生じなかっただろう。しかし、彼らは目の前にいる「困っている人」を何らの躊躇もなく助けようとした。それも仕事を失うリスクまで背負って。イエスがいたら言うだろう――「どちらが本当の隣人だったか」と。

日本政府の難民受け入れ姿勢が不十分であるとか、入国管理局の対応が官僚的に過ぎるとか、ひいては日本国民の外国人に対する受け入れ姿勢が排他的であるとか、議論を深めるべき問題はいろいろある。しかし、そうした議論とは別に、私たちはもっと人間として根源的な「行為」を大切にしたい。ここでは難しいことは言うまい。東京に住んでいらっしゃる方は、ぜひ高田馬場の個性的なビルマ料理店へ出かけて、彼らビルマ難民と出会ってほしい。そこから何かが始まるかもしれない。彼らは私たちの「隣人」なのだから。

エピローグ――地域研究とグローバル・スタディーズ、そして私の研究

大学院地域研究専攻の特徴を専攻主任としてお聞かせいただけますか。

まず、なんといっても、現地立脚型の地域研究。これを一番のセールスポイントにしています。自分の研究対象の地域に行ってもらい、そこで調査をしてもらう。また、その地域の文献をしっかり読んでもらう。そのためには、その地域の言語を学んでもらう。現地立脚型の地域研究というのが一つです。

もう一つは、グローバル・スタディーズ研究科のなかの一専攻としての地域研究ですから、グローバル・スタディーズとつなげてほしいわけです。従って、自分が興味を持っている対象地域だけではなく、それを横につなげて考えるということ、この姿勢を大事にしています。これは比較ということでもあります。仮にロヒンギャ難民問題に関心がある人がいても、それをビルマとバングラデシュの問題だけに限定しない。ロヒンギャ自体が世界中に散っていますし、難民問題は世界中に存在する。日本を見ても各国から難民が来ています。そういう風に、難民問題という

ものは横につながっているわけです。このように、横につながっているものを見ていく以上、横につなげて考えるという姿勢は大事です。常にこのことを地域研究専攻では院生さんたちに伝えています。

それともう一つは、現地調査をすると、自分自身はとても興味深い体験をし、感動し、ますますその地域が好きになると思いますが、問題はそれをどのように客体化して周りに伝えるかという点です。もっと簡単に言えば、自分の調査や経験や体験をどういう風に論文として書くか、その訓練にも力を入れています。客体化する以上、批判的な考察も必要です。自分がどんなに楽しかったとしても、その研究対象の地域や社会が持っている欠点もあるわけで、そのこともきちんと描く必要がある。そういった体験の客体化ということにも力を入れています。それが上智大学のグローバル・スタディーズ研究科地域研究専攻の特徴です。

では、今お話いただいたようなことをどのように意識されてゼミを進められているのかを含め、ゼミのアピールポイントなどをお聞かせください。

私の大学院ゼミは、東南アジア政治史研究といいまして、東南アジアの近現代の歴史に関心を持つ院生さん、またそれと関連するテーマで修士論文や博士論文を書く院生さんが受講しています。そして、この上智の地域研究の特徴を活かすべく、現地に行くことを奨励し、その報告をゼミでしてもらうようにしています。また、各人が自分の論文で取り上げるテーマに関しては、一つの学期において一、二回は三〇分から四五分時間を取って発表し、私がアドバイスをしたり仲間の院生が意見を述べたりしています。その時に、当然視野の狭い発表であればそれをどういう風に横に広げることができるか、あるいは他の地域のどの問題と比較ができるのかということを指導します。三人いれば、三者みんなテーマが違いますし、地域も異なります。従って、それぞれ自分の地域ではこうだよという情報を提供できますから、比較の視点を与えられるということになります。

また、私のゼミでは、必ず模範となるような専門書、ないしは専門論文をみんなで読むようにしています。これは、良い修士論文、博士論文を書くためには、日本語であれ、英語であれ、良い論文や本を読まないといけないからです。自分が修士論文、博士論文を書くにあたって、どういう風に書くべきか、ということが学べるような模範的な研究成果を取り上げて読んでいます。東南アジアという地域のなかで、政治史ないしは近現代史、今年度で言えばジェンダーなども取り上げています。そういうものを読んで、その本から内容を学ぶということはもちろんですが、その本の著者がどういう風な形式で議論をしているかという点も学んでもらいます。無論、一見学ぶことだらけのすばらしい本に見えても、どこかに乗り越えなければいけない欠点はあります。一〇〇点満点の本はありません。それを見つけられる力をつけるように指導しています。毎回担当者を決めて担当の章について発表してもらいますから、プレゼンテーションの練習にもなりますし、最後は書評も書いてもらいます。

先生ご自身のご研究とそのテーマを選ばれた理由を教えていただけますか。

東南アジア近現代史のなかのビルマを中心に研究しています。簡単に答える時にはビルマ近現代史と答えますが、もう少し幅広く答えるときは東南アジア近現代史、特にビルマを中心に扱っていると答えます。これまで書いてきた論文や専門書、一般向けの本の大半は、ビルマ近現代史に関するものです。

きっかけは、子どものときにビルマに住んでいたからということに加え、アジア太平洋戦争の時代に日本軍がビルマを占領したということを知って、それに関する興味が湧いたからでした。一九歳の時（一九七七年）にビルマを旅行しましたが、その時に空港で出会ったビルマの年長の男性が、アジア太平洋戦争中に日本軍と一緒にイギリスと戦ったという話を、日本語で、初めて会った私に話し始めたのです。とても驚いて、なぜこの国にまで、つまり東南アジアの西のはずれのビルマにまで日本軍は来たのかということが、一九歳だった自分の心のなかで大きな問いになりました。単に、子どもの時にビルマに二年半住んでいて懐かしいというだけではなく、もっとビルマという国の歴史や文化を学ぼうという思いが生じ、また、何よりもビルマ語を勉強した

カヤー州ロイコーのパゴダにて　1987年8月（著者30歳）

いという気持ちになりました。そして、大学での専門を変えました。初めは教育学、具体的には教育哲学を専攻していたのですが、専門を歴史学へ変更しました。幸いなことに東南アジア史を専門とされる先生がいらっしゃったので（山本達郎教授）、その先生のもとで卒論までお世話になりました。

その卒論では日本占領期のビルマの抗日闘争について書きました。大学四年生の時に、ビルマ語の集中講座が東京外国語大学アジア・アフリカ言語文化研究所（AA研）で開催され、それに参加したことで少しだけビルマ語が読めるようになりましたので、卒論にビルマ語の文献を使うという、ちょっとスリリングなこともやって卒業しましたが、研究者になる気は全くありませんでした。その当時は高校の教員になりたかったのです。そのため、都立高校の世界史の教員になって、二年間は都立高の教師として勤務しました（東京都立富士森高等学校）。

しかし、教える側に回るといかに自分がまだ不十分か、物事を知らないかということを痛いほど知らされます。そこで、自分はもっと学ばなければという気持ちが湧いてきて、二年で教員を辞め、大学院に入り直し、結果的には研究者を目指すことになったのです。ちょうどその頃、東京外国語大学にビルマ語科が新設されたので、そこにも正規の聴講生として通いました。大学院は母校の国際基督教大学（ＩＣＵ）に入りましたが、二年間は大学院と東京外語大両方に通うという大変忙しい院生時代を送りました。そしてその後、日本の当時の文部省の奨学金をもらってビルマに二年間留学する機会があり、帰国後は博士後期課程に入り、1年半後に中退して、東京外語大のＡＡ研に助手として運よく採用されました。

以上が研究者になるまでの経緯ですが、日本占領期のビルマ、アジア太平洋戦争期のビルマと日本との関係、特にビルマ人ナショナリストが日本にどう対応したのか、協力した部分もあるのでそこも含め、協力と抵抗が深いところでつながっていますので、そこを考察するというのが私にとっての一丁目一番地の研究テーマだったといえます。

今お話いただいたようなご研究テーマのなかで、今一番興味深く重要なトピックは何だと思われますか。

それは、排他的なナショナリズム、つまりヘイトスピーチに象徴される、「お前らは出ていけ」という言説につながるナショナリズムです。「我々は何者か」という意味でのナショナリズムではなく、むしろ「我々とはちがうもの」というものを一方的に括り、「出ていけ」というのがヘイトスピーチの特徴です。これは、世界で共通しています。日本でもコリア系の人たちに対する罵詈雑言、それから古くは被差別部落の人たちに対する差別発言など深刻な問題があります。

今、これは世界的な現象、つまりグローバリゼーションのなかの負の側面として捉えることができます。簡単に言えば、グローバル化に対する反発が各国で排他的なナショナリズムを生んでしまい、ヘイトスピーチが生まれ、弱い社会集団が大変な目に遭っているという状況が概ね世界で共通に起きているのです。東南アジアでもその問題は存在します。ビルマではまさにロヒンギャがその象徴ですが、ロヒンギャだけではありません。ビルマの近現代史のなかで、ナショナリズムはどういう風に形成され、そのなかでなぜ特定の集団を見下す、もしくは出ていけという言説が登場したのか、という点を見ていくことによって、今日の世界的イシューである排他的ナショナリズムの研究につなげることができるし、貢献もできます。

ロヒンギャ問題はその問題自体がグローバル・イシューでもあります。ビルマとバングラデシュの問題だけではなく、世界中にロヒンギャが散っているということをとってみても、ロヒンギャ問題は一国や二国に限定できる問題ではありません。さらに、難民問題という面から考えたり、排他的ナショナリズムによって追い出された人たちという側面で括れば、世界のあちこちで起きている問題と比較ができます。そこから共通点は何か、違いは何かということを導き出せます。そういう意味でビルマのナショナリズム研究を現在の問題につなげることができるし、そこからビルマだけでなく、東南アジア全体の排他的ナショナリズムの問題を考察することもできます。

ご研究やプライベートのことで、これからのことについてお聞かせください。

これから四年半で定年退職を迎えますので終活をしています（笑）。大学は年を追うごとに忙しくなっていますので、なかなか研究の時間確保というのが難しくなっています。特に上智大学は教育に力を入れる大学ですから、当然それに時間をかけます。定年退職後も含めた今から一〇年くらいの期間で何をするのかということを考えると、改めてビルマ・ナショナリズムに関する専門的な研究書をまとめたいと思っています。そのなかにはロヒンギャ問題も含まれるでしょうけれども、ビルマで常に排他的な言説の対象とされてきたインド人であるとか、イギリスの血の混ざった英系ビルマ人だとか、そういった人たちの問題も含めて、イギリス植民地期から独立前後の時期、そして、独立後の五〇年くらいのスパンを対象にしたビルマ・ナショナリズムの形成と展開の研究をまとめたいと思います。これまで、私は単著を五冊書いていますが、そのなかの三冊の専門書を基盤とした上で、ビルマ・ナショナリズムの形成過程をできるだけ思想史的に検証し直し、その結果、そこから外されてしまった人たちが、どういう扱いを受け、また、その人たち自身が何を思い、どういう風に対応してきたのかというものを見ていきたいと思います。終活の真面目な部分については以上です（笑）。

定年退職して時間が増えたらしようと思っていることはいくつもあります。その一つは、鉄道の運転です。鉄道の運転免許は、実は、仕事として運転する人じゃなくてもとれるんです、すごいお金はかかりますけど。ですから、鉄道の運転士免許を取りたい（笑）。ペーパードライバーですね（笑）。でも、単なる夢で終わりそうです。

先ほど少しお話いただきましたが、先生の学生時代についてももう少し聞かせていただけますか。

今思うと、現在の私と比べてすごく活動的でした。何をやっていたかと言うと、東南アジアの歴史に関する勉強はもちろんやりました。同時に、混声合唱、グリークラブというのがＩＣＵにあって、テナーのパートで四年間取り組み、部長も二年務めてやり抜いたという達成感があります。

あとは、在学中に受洗して、キリスト教徒になりました。自分の通っている日本基督教団の教会と深くかかわるようになり、そこの教会学校の小学生や中高生の相手をし、週一回でしたがこれにも相当エネルギーを注ぎました。

それから、社会運動、これにも結構熱心に取り組みました。具体的には、成田空港建設反対運動に一市民として関わりました。当時、空港建設で土地を奪われた農民たちによる大規模な反対運動が市民の共感を得て、全国各地の様々な反体制運動や環境運動などの市民団体が、空港建設地の三里塚に集まりました。現地のデモに二万人以上集まるような、そんな時代でした。キリスト教徒の立場から農民とどういう風に連帯できるだろうかということを、二十歳くらいの若造でしたが、考え悩み、いよいよ開港するという大騒ぎの時には開港阻止のデモにも参加しました。

そのような経緯から農民との交流が深まったので、地元農民が有機無農薬野菜を作るという運動を始めた際は、都市部に住んでいる我々はそれを積極的に支援しましょうと、消費者と生産者を有機的につなげる運動もやったりして、ほんとに暇なしでしたね。

それから家庭教師のアルバイトもし、さらに塾で中学生に英語を教えることもしていました。ですから、一体いつ休んでいたんだろうというような四年間でした。本当に、学生時代は家にほとんどいなかったんじゃないですかね。寝に帰るだけで。

そうするといつ本を読んでいたんだろうと思いますね。ただ、一応大学時代に読んだ本のリストというのは残っていて、数はさほど多くないんですが、それなりにきちっと読んではいたんです。今思うとそれなりに有効に時間を使っていたんでしょうね。当時はそんな自覚はなかったですけど。本や論文は大学院生の時のほうがはるかにたくさん読みました。大学院の時のほうが読書は質も高かったと思うし、何といっても量が多かったですね。これは当然のことでしょうが。

それでは最後にグローバル・スタディーズ研究科地域研究専攻への入学を考えている学生の皆さんにメッセージをお願いいたします。

どのようなテーマ、研究トピックに関心があっても、そこだけに集中しないで横につなげて考えようとする、そういう姿勢を持ってほしいと願います。そのような方に入ってきてほしいです。自分はこの地域のこの問題だけやりたいというのではなく、その殻を破って、そのテーマはもちろん大いにやってほしいけれども、横につなげてそれをより客観的に比較の視点からも見ていくという、そういう姿勢のある人に入ってきてほしいですね。

それから、あとは本や新聞を読む習慣のある人。大学院生である以上、本を読まないとか、論文を読まないということはあり得ないですけれども、年々、学部の学生を見ていると読書の習慣が薄らいでいるように感じます。かなり真面目な学生と話をしていても本を読まず、ほとんどネットから情報を収集しているということもありました。本を読み、そのことを通じて、その本の著者と対話をすることが大事であり、それこそが本を読んで考えるということを意味します。本を

絵：荒井真希子

読み論文を読むという習慣のある人に入ってきてほしい。また、新聞も必ず読んでほしい。グローバル・スタディーズの中の地域研究ですから、グローバルな関心がないと困るわけです。今世界で、日本を含めて何が起きているのかということを知るためには、ニュースを追わなければいけません。そのニュースはネットのGoogleやYahoo!の美味しいところをクリックして読むだけではダメです。それなりのクオリティペーパーと呼ばれている質の高い新聞に複数目を通す必要があります。新聞を中心とするニュースを毎日読むという習慣を持っている人に入ってきてほしいし、入った後、そういう習慣を維持してほしい。スマホで安易に情報を集める生活からは卒業してほしいと思っています。

ご協力ありがとうございました。

（二〇一八年一一月五日）

【インタビュアー】
登利谷　正人［上智大学グローバル・スタディーズ研究科　特別研究員（PD）］
伊吹　唯［上智大学グローバル・スタディーズ研究科　研究補助員（RA）］

あとがき

私がビルマと最初に出会ったのは五歳になる直前の一九六二年六月のことだった。外交官だった父が駐ビルマ日本国大使館に参事官として赴任し、二カ月ほど遅れて私を含む家族が当時の首都ラングーン（ヤンゴン）に移り住んだ。雨の降るミンガラードン空港に、イギリス国営航空（BOAC）に乗って着いた日のことをかすかに覚えている。

右も左もわからない子どもにとって、その日から約二年半にわたったビルマでの生活は、人生を通じて忘れられないものとなった。暑さと雨に象徴される熱帯モンスーンの風土、平屋の洋館の家とバナナやパイナップルの木があった庭、やさしかったサーヴァントたち、夜にどこからともなく鳴り響く悲しげな僧院の鐘の音、国内各地を旅行したときの風景、インターナショナル・スクールの先生と友人たち、市場の様子、オート三輪のタクシー、戦前のベッドフォード社製のおんぼろバスなどなど。

その後、一九六四年一〇月に父がオーストラリアのメルボルンに転勤となり、私たち家族も一緒にそこで一年半を過ごした。子どもにとって先進国は全てにおいてまぶしく、何よりもアイスクリームやミートパイのおいしい国として好印象を抱いた。ビルマのことなどすっかり忘れてしまった。日本に帰国したときは小学校三年生の夏休み直前で、地元の東京都杉並区の小学校に転入した。帰国子女の走りで、学校文化のギャップに悩み、相談相手もいないなか、心理的に不安定な日々を送った。

時は流れ、男子全寮制高校での「灰色の青春」を経て、一九七六年に唯一の志望校だった国際基督教大学に進学した私は、翌七七年、ふとなつかしくなって、大学一年生最後の春休みを使いビルマを一三年ぶりに再訪した。わずか七日間のセンチメンタル・ジャーニーだったが、なつかしい風景や人々との再会がつづくなかで、思いがけない出会いをする。第二の都市マンダレーの小さな飛行場で、数時間遅れのラングーン行き国内線を待っていたときのことである。待合室で五十代と思われるビルマ人の男性が私に近づくと、いきなり流暢な日本語で声をかけてきた。開口一番、彼はこう語った。

「私は戦争中、日本軍と一緒にイギリス軍と戦いました。」

私とビルマとの「知的」出会いは、このときに始まったように思う。「なぜビルマ人が第二次世界大戦中、日本軍と一緒になって英軍と戦ったのか、そもそもなぜ日本軍が東南アジアの西の果てビルマまでやってきたのか」、今ならその歴史的経緯について何時間でも語れるが、一九歳の大学生には基本知識が全く欠けていた。男性は戦時中に日本軍の通訳をしながら日本語を上達させ、戦後もその能力を維持するために飛行場で日本人をみかけると、こうして練習を兼ねて会話をするのだと語ってくれた。私はこのときの一期一会ともいえる出会いがきっかけとなって、ビルマ語とビルマの歴史を学ぼうと強く思うようになった。

日本に戻った私は、大学での専攻を教育哲学から歴史学に変更した。ちょうど東南アジア史を専門とする山本達郎教授がおられ、先生の講義や演習科目を受講した。山本先生との出会いは私にとって実に幸運なことだった。歴史学の奥深さを学んだだけでなく、人間としての礼儀作法も教わることができた。

四年時の夏休みに東京外国語大学アジア・アフリカ言語文化研究所（AA研）が主催したビルマ語集中講座（二二六時間）に通い、少しだけビルマ語文献も読めるようになった私は、「日本占領期ビルマの対日姿勢」という題で拙い卒業論文をまとめた。当時は研究者になる気など全くなかったので、卒業後はビルマから離れ、高校の世界史教員になった。歴史を教える仕事は高校生の頃からの夢で、それが実現したので嬉しかった。しかし、東京都立富士森高校（全日制普通科）という学校で、いざ教壇に立つと、すぐに大学時代の知的不完全燃焼を悔やむことになった。そのとき、教員二年目の夏に、愛知大学の伊東利勝先生が主催してくださった愛知県足助町での若手ビルマ研究者たちの研究合宿に参加し、卒論の報告をおこなう機会を与えられたことが、私に大きな決断を迫る刺激となった。

悩んだ末、二年間で教員の職を辞した私は、東京外国語大学の聴講生となってビルマ語を学び直し、並行して母校の大学院（博士前期課程）に進学した。このときからビルマ近現代史研究の道を歩むことになった。修士号取得後は、文部省アジア諸国等派遣留学生として一九八五年一〇月から二年間、ビルマに留学する機会を得た。本書の第一部のエッセイにはこの時期の体験に関するものがいくつも含まれている。

帰国後は博士後期課程に進んだが、一九八八年にビルマで爆発した大規模民主化運動を見て、大いなる反省を迫られた。政治にはおよそ無関心だったように思われた当時のビルマの大学生が中心となって、独裁体制への異議申し立てを命がけでおこない、それにつづいて市民や公務員が立ちあがったのである。私はこのような動きが起きるとは全く予想しておらず、留学時に自分がビルマの人々の本当の想いを知ることができなかったことを心から悔いた。「自分は留学中、いったい何を見ていたのか」と。これ以来、今を生きるビルマの人々の思いを政治的なものも含めてしっかり把握する努力をし、それを大切にしようと考えるようになった。

一九八九年一〇月、私は大学に職を得た。大学四年時にビルマ語集中教育を受けた東京外国語大学AA研に運よく助手（専任の研究職）として採用されたのである。それ以来、この本をまとめている現在まで三四年がたった。その間、二〇〇七年に上智大学に移ったが、大学院時代を含め「ビルマ研究一筋四〇年」を過ごしてきたといえる。前述の山本達郎先生をはじめ、奥平龍二先生（ビルマ法制史、ビルマ語）、斎藤照子先生（ビルマ経済史）、池端雪浦先生（フィリピン史）、石井米雄先生（タイ史）ほか諸先生方からさまざまに薫陶を受け、その学恩に報いたとはとてもいえないが、自分なりに研究上の貢献が少しはできたように思う。

私は一貫してビルマ・ナショナリズムそのものを大きな研究対象としてきた。より具体的には、日本軍占領期のビルマ（一九四二～四五）における対日協力と抗日の絡み合いの実態分析を土台に、その背景としての英領期ビルマの研究（英緬関係史）、なかでも一九三〇年代後半に独立運動で独特の行動を展開したタキン党（我らのビルマ協会）の特徴分析をおこなってきた。これらに付随して、独立後のビルマで不安定な地位に置かれた英系ビルマ人の歩みに関する研究や、一九六〇年代にビルマから追われたインド人（主にタミル人）に関する調査などもおこない、また歴史的視点を重視したビルマの現代政治分析に加えて、同国の民主化運動を率いるアウンサンスーチーの思想と行動に関する考察にも取り組んできた。ここ十数年は、さらにロヒンギャ問題に関する研究もおこなっている。

上智大学での研究教育も一六年目を終え、この本が出るころには定年退職を迎えることになる。学内でおこなわれる最終講義に合わせ、これまで書き溜めたエッセイのいくつかをひとつにまとめて本にできないものかと考え、敬愛する編集者である彩流社の出口綾子さんに相談したところ、気持ちよく出版を引き受けてくださった。私のわがままを受け止めてくださった出口さんに厚く御礼申し上げる。本書はその大半が二〇〇〇年代に入って以降に書いたエッセイと論説によって構成されているが、これを通じて私のビルマに対する心情や姿勢を少しでも読み取っていただき、ビルマという国の魅力と、何よりもそこに住む人々への関心を深めてくだされば、著者として望外の幸せである。

二〇二三年二月一五日

根本 敬

＊初出情報

第Ⅰ部「ビルマを学ぶ、ビルマから学ぶ」

『青淵』（財団法人渋沢栄一記念財団）。カッコ内は号数。年は本文参照。

ビルマ留学の残照（六九一号）／成田に着いたら別れてあげます（七〇二号）／あるビルマ人弁護士の思い出（七一四号）／トイレ使用は課長決裁（七二八号）／「馬車運」の悪い留学生（七四一号）／おいしくないトウモロコシの理由（七六七号）／おいしいトマトジュースの理由（七七八号）／ビルマ軍政が最も恐れた男―ミンコーナイン（七九一号）／負の記憶の語られ方（八〇四号）／忘れじの「困った」学生たち（八一六号）／ビルマ犬カロの生涯（八二八号）／忘れじの「困った」先生たち（八三九号）／階段を使おう！「日本階段連」へのお誘い（八五一号）／酔いどれ寮長とその仲間たち（八六三号）／鐘が鳴る前から教室にいます（八七五号）

ビルマで犯した「罪」…『季刊　アーガマ』阿含宗出版社、一九九六年秋号・No.140。

第Ⅱ部　ビルマのいま、ビルマの未来

アウンサンスーチーの生き方…『婦人之友』婦人之友社、二〇一一年二月号。

ビルマ民主化への道のり…『婦人之友』婦人之友社、二〇一二年六月号。

ビルマ民主化の行方…『婦人之友』婦人之友社、二〇一六年二月号。

危機のなかのビルマ…『世界』岩波書店、二〇二一年八月号。

クーデター後のビルマ…『婦人之友』婦人之友社、二〇二一年九月号。

「絶望」的状況の中の「希望」…『図書新聞』二〇二二年一月一日号。

ミャンマーと香港の民主化運動…『図書新聞』二〇二一年一〇月三〇日号。

隣人としての在日ビルマ難民…『福音と世界』新教出版社、二〇一三年八月号。

エピローグ…上智大学大学院グローバル・スタディーズ研究科ホームページ、先生インタビューVol.6、二〇一八年一一月五日。

根本 敬 主要研究著作（二〇二三年二月現在）

＊日本語

〈単著〉

『アウンサンスーチーのビルマ 民主化と国民和解への道』（岩波現代全書五一）、二〇一五、岩波書店

『物語ビルマの歴史――王朝時代から現代まで』（中公新書二二四九）、二〇一四、中央公論新社

『ビルマ独立への道――バモオ博士とアウンサン将軍』、二〇一二、彩流社

『抵抗と協力のはざま――近代ビルマ史のなかのイギリスと日本』、二〇一〇、岩波書店

『アウン・サン――封印された独立ビルマの夢』（現代アジアの肖像一三）、一九九六、岩波書店

〈編著〉

『在外ビルマ（ミャンマー）人の移動と土着化』（Occasional Papers 28）、二〇二〇、上智大学アジア文化研究所

『在外ビルマ人コミュニティの形成と課題―日本と韓国を事例に』（Occasional Papers 20）、二〇一六、上智大学アジア文化研究所

『東南アジアにとって20世紀とは何か――ナショナリズムをめぐる思想状況』（所収論考「〝英系ビルマ人〟が〝ビルマ国民〟になるとき――血統主義、出生地主義、〝国家への忠誠〟」）、二〇〇四、東京外国語大学アジア・アフリカ言語文化研究所

『海外人づくりハンドブック――ミャンマー』、一九九八、財団法人海外職業訓練協会
『暮らしがわかるアジア読本――ビルマ』、一九九七、河出書房新社
〈共編著〉
『アウンサンスーチー政権のミャンマー　民主化の行方と発展のモデル』、二〇一六、明石書店
〈共著〉
『岩波講座　世界歴史』第20巻（所収論考「東南アジアのナショナリズム」）、二〇二二、岩波書店
『20世紀の東アジア史』第3巻（所収論考「ビルマ（ミャンマー）国家建設の歴史過程―三度の挫折と四度目の挑戦」）、二〇二〇、東京大学出版
『（新版）東南アジアの歴史――人・物・文化の交流史』、二〇一九、有斐閣
『ロヒンギャ難民の生存基盤―ビルマ／ミャンマーにおける背景と、マレーシア、インドネシア、パキスタンにおける現地社会との関係』（SIAS Working Paper Series 30、所収論考「ロヒンギャの歴史叙述はどこまで可能か」）、二〇一九、上智大学イスラーム研究センター
『ミャンマー　国家と民族』（所収論考「日本占領下のミャンマー」「連邦国家の形成と挫折―ウー・ヌとネー・ウィンの時代（一九四八―一九八八）」）、二〇一六、古今書院
『ミャンマー・ルネサンス　経済開放・民主化の光と影』（分担執筆「アウンサンスーチー「対話」による国民和解を求めて」）、二〇一三、コモンズ

『アウンサンスーチー　変化するビルマの現状と課題』(新書)、二〇一二、角川書店
『戦争と和解の日英関係史』(所収論考「ビルマ―親英でも親日でもなく」)、二〇一一、法政大学出版局
『生まれる歴史、創られる歴史――アジア・アフリカ史研究の最前線から』(所収論考「英系ビルマ人の歴史と記憶―日本占領期(一九四二―四五年)とビルマ独立をめぐって」)、二〇一一、刀水書院
『岩波講座　東アジア近現代通史』第3巻(所収論考「東南アジアにおける植民地エリートの形成―英領期ビルマの場合」)、二〇一〇、岩波書店
『歴史和解と泰緬鉄道』、二〇〇八、朝日新聞出版
『資料で読む世界の8月15日』(所収論考「ビルマにおける戦勝と解放」)、二〇〇八、山川出版社
『現代世界の女性リーダーたち――世界を駆け抜けた11人』(分担執筆「アウンサンスーチー　真理の追究」)、二〇〇八、ミネルヴァ書房
『岩波講座　アジア・太平洋戦争』(所収論考「東南アジアにおける「対日協力者」―「独立ビルマ」バモオ政府の事例を中心に」)、二〇〇六、岩波書店
『だれが世界を翻訳するのか――アジア・アフリカの未来から』(所収論考「国家の再翻訳にともなう普遍の意味――アウンサンスーチーの思想に見るナショナリズムと普遍」)、二〇〇五、人文書院
『戦後日本・東南アジア関係史総合年表』、二〇〇三、龍渓書舎
『ビルマ軍事政権とアウンサンスーチー』(新書)、二〇〇三、角川書店
『アジア新世紀』第7巻(所収論考「軍のあり方―ビルマ軍事政権に見る国家統治の現実」)、二〇〇三、岩波書店

『岩波講座　東南アジア史』第8巻（所収論考「ビルマの独立─日本占領期からウー・ヌ時代まで」）、二〇〇二、岩波書店
『岩波講座　東南アジア史』第7巻（所収論考「ビルマのナショナリズム──中間層ナショナリスト・エリートたちの軌跡」）、二〇〇二、岩波書店
『東南アジア史Ⅰ大陸部』、一九九九、山川出版社
『アジア政治読本』（分担執筆「ビルマ─軍政下の多民族国家」）、一九九八、東洋経済新報社
『東南アジア史のなかの日本占領』（所収論考「ビルマの都市エリートと日本占領期──GCBA、タキン党、植民地高等文官を中心に」）、一九九七、早稲田大学出版部
『もっと知りたいミャンマー（第2版）』（分担執筆「政治」「日本との関係」）、一九九四、弘文堂
『岩波講座　近代日本と植民地』第6巻（所収論考「ビルマの民族運動と日本」）、一九九三、岩波書店
『近現代史の中の日本と東南アジア』（分担執筆　第六章「ビルマ（ミャンマー）」）、一九九二、東京書籍
『東南アジアのナショナリズムにおける都市と農村』（所収論考「ビルマ抗日闘争の史的考察」）、一九九一、東京外国語大学アジア・アフリカ言語文化研究所
『アジア・キリスト教の歴史』（分担執筆「ビルマ」）、一九九一、日本キリスト教団出版局

〈論文〉

「アウンサンスーチーの非暴力主義──ガンディーの精神を二一世紀に引き継ぐ」、『上智大学キリスト教文

化研究所紀要』33号所収、二〇一五、上智大学キリスト教文化研究所
「ビルマの民族運動における暴力と非暴力―アウンサンスーチーの非暴力主義と在タイ活動家たちの理解」、『年報政治学』二〇〇九Ⅱ号所収、二〇〇九、日本政治学会
「現代ミャンマーの政治をどう見るか――軍政下の政治過程と民主化問題」、『国際問題』第五三五号所収、二〇〇四、日本国際問題研究所
「アウンサンスーチーの思想と行動――「恐怖に打ち勝つ自己」と「真理の追究」」、『国際基督教大学学報Ⅲ『アジア文化研究』別冊10所収、二〇〇一、国際基督教大学アジア文化研究所
「植民地ナショナリズムと総選挙――独立前ビルマの場合（一九三六、一九四七）」、『アジア・アフリカ言語文化研究』48・49合併号所収、一九九五年、東京外国語大学アジア・アフリカ言語文化研究所
「一九三〇年代ビルマ・ナショナリズムにおける社会主義受容の特質――タキン党の思想形成を中心に」、『東南アジア研究』27巻4号、一九九〇年、京都大学東南アジア研究センター
「ビルマにおける民族主義と社会主義――民主化闘争の歴史的背景」、『海外事情』36巻11号、一九八八、拓殖大学海外事情研究所
「ビルマ近・現代史研究における「日本占領期」の扱われ方――J. Bečka の学位論文（一九八三）の書評を中心に」、『東南アジア 歴史と文化』14号、一九八五、東南アジア史学会

〈書評〉

武島良成（著）、『「大東亜共栄圏」の「独立」ビルマ――日緬の政治的攻防と住民の戦争被害』、二〇二〇、ミネルヴァ書房　（『日本歴史』八七八号、二〇二一、日本歴史学会編、吉川弘文館）

小泉順子（編著）、『歴史の生成――叙述と沈黙のヒストリオグラフィー』、二〇二〇、京都大学学術出版会、（『東南アジア研究』58巻1号、二〇二〇、京都大学東南アジア地域研究研究所）

伊野憲治（著）、『ミャンマー民主化運動――学生たちの苦悩、アウンサンスーチーの理想、民のこころ』、二〇一八、めこん　（『東南アジア　歴史と文化』49号、二〇二〇、東南アジア学会

柿崎一郎（著）、『タイ鉄道と日本軍――鉄道の戦時動員の実像　一九四一～一九四五年』、二〇一八、京都大学学術出版会　（『経済史研究』22号、二〇一九、大阪経済大学日本経済史研究所）

山本博之（著）、『倒せ独裁！アウンサンスーチー政権をつくった若者たち』、二〇一六、梨の木舎　（『図書新聞』三二八七号、二〇一七、株式会社図書新聞）

伊藤正子、吉井美知子（編著）、『原発輸出の欺瞞――日本とベトナム、「友好」関係の舞台裏』、二〇一五、明石書店　（『東南アジア　歴史と文化』45号、二〇一六、東南アジア学会）

Mary P. Callahan, *Making Enemies: War and State Building in Burma*, 2003, Cornell University Press（『アジア経済』46巻7号、二〇〇五、アジア経済研究所）

Than Myint-U, *The Making of Modern Burma*, 2001, Cambridge University Press（『東南アジア　歴史と文化』32号、二〇〇三、東南アジア史学会）

フジタヴァンテ（編）、奥平龍二（監修）、『ミャンマー 慈しみの文化と伝統』、一九九七、東京美術 （『アジア・アフリカ言語文化研究』54号、一九九七年、東京外国語大学アジア・アフリカ言語文化研究）

Martin Smith, *Burma: Insurgency and the Politics of Ethnicity,* 1991, Zed Books（『アジア経済』35巻1号、一九九四、アジア経済研究所）

Khin Yi, *The Dobama Movement in Burma (1930-1938)*, 1988, Cornell University Southeast Asia Program（『東南アジア研究』26巻2号、一九八八、京都大学東南アジア研究センター）

＊英語

〈編著〉

Myanmar Studies without Burmese? On how and why Language still matters for Area Studies (Occasional Papers No.34), 2022, 上智大学アジア文化研究所

Reconsidering the Japanese Military Occupation in Burma (1942-45)（Chapter 1 "Between Collaboration and Resistance: Reconsideration of the Roles of Ba Maw and Aung San in Their Context of Asserting Burmese Nationalism"）, 2007, Research Institute for Languages and Cultures of Asia and Africa, Tokyo University of Foreign Studies.

〈共著〉

Asian Nationalisms Reconsidered (Part2-19 "Burma's (Myanmar's) 'exclusive' nationalism"), 2016, Routledge.

Cultural Heritage in the Resurgence of Nationalism: A Comparison of the Re-structuring of Identity in Asia and Africa ("Cultural Heritage under Imperialism and Nationalism: Burmese Cultural Heritage in the British Colonial Period and after Independence"), 2012, 上智大学アジア文化研究所

Britain and Japan at War and Peace (Part1-4 "Neither Pro-British nor Pro-Japan: How the Burmese Political Elite reacted under British and Japanese Rule"), 2009, Routledge.

Myanmar in Comparative Perspective: State, Society and Ethnicity (5 "Between Democracy and Economic Development: Japan's Policy towards Burma/Myanmar: Then and Now"), 2007, Institute of Southeast Asian Studies, Singapore.

Elusive Borders: Changing Sub-Regional Relations in Eastern South Asia (Chapter 6 "The Rohingya Issue: A Thorny Obstacle between Burma(Myanmar) and Bangladesh"), 2005, アジア経済研究所

1945 in Europe and Asia: Reconsidering the End of World War II and the Change of the World Order ("Burma: Occupation, Collaboration, Resistance and Independence"), 1997, Deutsches Institut für Japan-studien, Indicium Verlag.

Aung San Suu Kyi and Contemporary Burma (Kansai Institute of Asia-Pacific Studies KIASP Discussion Paper No. 1) ("Aung San Suu Kyi: Her Dream and Reality"), 1996, Osaka University of Foreign Studies.

〈論文〉

"The Anglo-Burmese in the 1940s: To become Burmese or not",『上智アジア学』32号、2014, 上智大学アジア文化研究所

"The Concepts of *Dobama* (Our Burma) and *Thudo-Bama* (Their Burma) in Burmese Nationalism, 1930-1948", *The Journal of Burma Studies,* Volume 5, 2000, Center for Southeast Asian Studies, Northern Illinois University.

〈書評〉

（Review）Robert H. Taylor, 1987, *The State in Burma,* C. Hurst and Company, *The Developing Economies* Volume 28-1, 1990, Institute of Developing Economies.

◆著者経歴

1957年　ワシントンD.C.（アメリカ合衆国）に生まれ、3カ月で東京へ移動
1962年　ラングーン（ビルマ連邦）に移り、2年半、家族と共に住む（父の仕事の関係）
1964年　メルボルン（オーストラリア）に移り、一年半、家族と共に住む（父の仕事の関係）
1966年　7月に東京へ戻り、東京都杉並区立井荻小学校に転入（3年生）
1970年　同卒業（3月）、東京都杉並区立荻窪中学校に入学（4月）
1973年　同卒業（3月）、東京都立秋川高等学校（男子全寮制）に入学（4月）
1976年　同卒業（3月、国際基督教大学（ICU）教養学部に入学（4月）
1980年　同卒業（3月）、東京都立富士森高等学校（全日制）世界史教諭となる（4月）
1982年　同退職（3月）、4月より東京外国語大学インドシナ語学科ビルマ語聴講生となる（2年間）
1983年　国際基督教大学（ICU）大学院比較文化研究科博士前期課程に入学（4月）
1985年　同修了（文学修士）、文部省アジア諸国等派遣留学生としてビルマ連邦社会主義共和国に留学（2年間）
1987年　ビルマより帰国、国際基督教大学（ICU）アジア文化研究所研究助手（非常勤）となる（1989年9月まで）
1988年　国際基督教大学（ICU）大学院比較文化研究科博士後期課程に入学（4月）
1989年　同中退、10月に東京外国語大学アジア・アフリカ言語文化研究所（AA研）に助手（研究職）として採用される（その後17年6カ月在職）
1993年　英国ロンドン大学東洋アフリカ研究院（SOAS）訪問研究員（1年7カ月）
1995年　英国より帰国、4月より東京外国語大学AA研助教授
2005年　4月より同教授
2007年　4月に上智大学へ移り、外国語学部アジア文化研究室教授となる
2014年　総合グローバル学部発足に伴い、同学部へ異動
2023年　3月に定年退職（4月より名誉教授）
（この間、上智大学ではアジア文化研究室長、大学院グローバル・スタディーズ研究科委員長、同地域研究専攻主任、アジア文化研究所長などを歴任）

著者プロフィール

根本 敬（ねもと・けい）

1957年生まれ。上智大学総合グローバル学部教授。専門はビルマ近現代史。国際基督教大学卒業、同大学院博士後期課程中退（文学修士）。東京外国語大学教授を経て2007年より上智大学外国語学部教授、2014年より現職に異動。2023年3月定年退職。同年4月より名誉教授。

主著：『抵抗と協力のはざま——近代ビルマ史のなかのイギリスと日本』『アウン・サン——封印された独立ビルマの夢』『アウンサンスーチーのビルマ』（岩波書店）、『物語　ビルマの歴史』（中公新書）、『ビルマ独立への道——バモオ博士とアウンサン将軍』（彩流社）など。ほかに編著・共著多数。

つながるビルマ、つなげるビルマ

——光《ひかり》と影《かげ》と幻《まぼろし》と

2023年3月21日　初版第一刷

著　者　根本 敬 ©2023

発行者　河野和憲

発行所　株式会社 彩流社

〒101-0051　東京都千代田区神田神保町3-10　大行ビル6階

電話　03-3234-5931

FAX　03-3234-5932

http://www.sairyusha.co.jp/

編　集　出口綾子

装　丁　渡辺将史

印刷　モリモト印刷株式会社

製本　株式会社難波製本

Printed in Japan　ISBN978-4-7791-2877-6 C0036

定価はカバーに表示してあります。乱丁・落丁本はお取り替えいたします。